wa

青幻舎

和更紗目次

和更紗紋様随考

型摺染め更紗紋様紙を中心として——

吉本嘉門

和更紗と特に和の字を符して呼称される、一群の本邦産になる更紗紋様キレのあることは、すでに多くの人々に広く知られているとおりである。

もともとこの更紗キレの源流である“渡《わた》りのサラサ”が、わが国に舶載されたのは室町末期から桃山〜江戸初期にかけての、オランダ人・ポルトガル人・唐人などによる南蛮貿易の商船《あきないふね》によってもたらされたものに始まるといわれている（またの説では、飛鳥・奈良の朝にまで遡るともいわれているが—）。

しかしその最盛の時期といえば、やはり桃山〜江戸初期の、長崎・出島、平戸の開港地を経てもたらされたものが、種類の点からも数量の上からも特に著しさを示した黎明の時期だったといえるだろう。

それは夥しい舶来文物の一類として—棧留島《さんとめじま》（唐棧）・金巾《かなきん》・びろうど・モール・繻珍《しゅちん》・弁柄染布《べんがらきれ》—等と共に、このサラサ（更紗）の布に関わる名称が、当時の貿易商館日記や献上品目表、運上所文書の随所にみえることでも知れる。

今日、一般に更紗の文字で定着、理解されているこの“語《ことば》”も、往時の“舶来染め織り物類”の記録の上ではいろいろと異なった文字で綴られている。

例えば—佐羅紗・佐羅陀・皿紗・佐良太・皿太・印華布・華布・暹羅染《しゃむろそめ》・沙室染・更多（島）・サラタ・スラタ・サラサ—等々である。しかもこの多様に表現される更紗というコトバの語源については、種々な論議・解釈が続いてはいるが、なお明確な解答は示されていない。今日までいわれてきたもののいくつかは—①インドの地名に由来する名称である。②蘭語がその原典である。③ポルトガルではもともとそのように呼んでいた。④南方土語が原典である。⑤サラセン国を原点《オリジナル》とする文様布《きれ》がそれである—など、先賢、諸師による記述や諸説はあるが、いずれも前記のように決定的なものではないとされ、定説のないのがすなわち定説であるといわれるのも、なおまたこのキレの不思議さをいい得ているようにも思われる。

近頃ではまた更紗というのは世界共通の文様語であるといっている人もあるが、別にどこの国のコトバというより、これは日本のコトバであるということに思い当たって、当たり前のことだが……と、改めて納得したりもするのである。試みに長い日本での生活経験を持つ外国人は除いて、日の浅い滞在者や短期間で日本を通過する外国の旅行者たちに、日本人のいう"更紗模様《サラサパターン》"のことを—SARASATIC PATTERNなどと当てて尋ねてみても反応は殆ど得られないだろう。

普通、外国では—PRINTED TEXTILES／PRINTED COTTON TEXTILES／PRINTED CALICO／CALICO PAINTING—また、インドネシアでは—BATIK(BATTIC)、イギリスでは—CHINTZ等で、われわれのいう更紗のことが理解されているからである。

ところで、かつて紅毛サラサ、南蛮花布《さらさ》、唐印華布の表を飾った斬新・華麗な渡り紋様、加えてその奔放自在な色調の珍奇さは—それまでの日本的な感性、情緒によって発想《イメージ》された装飾、図案、衣裳模様の構成や、絵画的で静寂な草花・花鳥、写実的な伝承手法による自然や風物との調和、といった—昔ながらの常識的な感得に養われた人たちの抜き難い思考の一角に多少の覚醒を与えたことには疑いなく、ある意味ではわが国の染織文様界へ一握りの新風を吹き入れたものともいい得よう。やがてそれは、以後の友禅染めや小袖の文様付けにも、微妙な影響を与えたといわれることでも知れる。

このように新しい驚きと憧憬をさえもって迎えられ、たちまちのうちに一縷の流行の兆しをみせ始めた更紗文様キレであったが、それはこの期の頃の市井の人たちにとっては何としてもまだ遠い存在でしかなく、当然のように大名・貴人・高級武士・長者・富裕の商人層によって専有・蒐蔵されるものが殆んどだったといわれ、それらは茶道・道具のしふく、用衣・装飾や鑑賞の布として珍重され、また名だたる高家・大名・茶人たちの所蔵の中には、名物裂《きれ》の列に名を連ねるものもあらわれるにいたって、もはや渡りの更紗キレなど全く庶民の手になど負えるべくもない高嶺の花でしかなくなっていった。

その頃の渡り更紗の種目には、印度・シャム・ペルシャ・オランダ・ジャワ・唐の更紗などと、それぞれの国の名を冠して区分・符牒で呼ばれ、また技法の成り立ちや、仕様・文様の特徴付けで―木版・手描き技法の比較的多いのはインド・ペルシャ・唐のもの。蝋《ろう》引き染めのバティック手法を主としたジャワのもの。銅版・型・捺染技法のオランダ、ポルトガルのもの等―当初、大まかな呼びようで数寄者や目利き連に親しまれていたといわれ、布面を彩る文様も、草花文・花辦文・蔓手類・獣・鳥・虫・魚類・人形（人物）手、また象形文・小紋・連続文・宗教説話を背景とした絵画文などと、いずれもその国柄や風土の匂いを漂わせた眩いばかりの文様ギレなどを含めて、舶来荷の洋物・唐もの・賞《めで》もの雑貨など、異国の貿易船の入津時には、関内の泊め蔵に山積されている渡りの品々の札入れ市場がいくどとなく開かれて、その定め時の蔵荷拝見の開帳には、地内の往還は行き交う蘭人・紅毛人・唐人たちで砂ぼこりがあがり、またその間をぬうように目まぐるしい忙しさで、日本の役人、通詞、鑑札持ちの出入商人たちの動きが続いたという。それはここだけにしか見られない異国情緒に溢れた“バザール”の展開で、その雑踏と賑いは定め日の間、日毎続いたという出島の館であった。

本来、木綿の染め文様を本流とするこの更紗の紋様布だが、錦織《にしきおり》や唐織物、また豪奢、華麗な別織り絹地織布などに特別の注文で刺繍や箔の造りを加え、渡り更紗の文様を施したものなどもあって、大名、武将の好んで用いた陣羽織などに仕立てられたものが現在《いま》に幾種類か残されているが、これは武人特有の、対座する相手に無言の威圧を与えようとするある種の計算が読みとれていて、その文様も大抵は猛獣類や一見しただけでひれ伏さざるを得ぬ体の、絢爛・珍奇なものを用いることを常としている。別して戦場に臨むときの具足・甲冑・鎧の染文・彩合いの文様など、縅《おどし》の意図は当然大きく、昔からの「鎧」に付けられている名称を見ても、“赤絲縅鎧《あかいとおどしよろい》”“藍革縅肩赤鎧《あいかわおどしかたあかよろい》”“浅忽綾縅鎧《あさぎあやおどしよろい》”等とあり、また名高い鎧類の“弦走革《つるはしりかわ》”や“脇楯《わいだて》の壷板《つぼいた》”などにみられる唐獅子文や龍・虎・怪獣類の染文など、威武と恫喝を敵手にしめす目的がはっきりと読みとれる。

時代の移りもしだいに平穏無事の時代を迎えはじめると、鬼面人を驚かす体の強烈、異様のものはしだいに影をひそめていき、一方には大名や富裕の階層とは異なった生活環境にあった巷間庶民の更紗きれに対する反応は、旧套を律儀に守るしきたりや、町衆の心底にあるいき、粋《すい》の感覚からいっても、やや飛びすぎる異国調の柄ゆきなどには素直になごめなかったことは疑いなく、眺めているだけの感歎とはまた異なった思いもあって、これをそのまま表に纏う衣料・衣裳として、市内・往還を闊歩することにはなお相当の躊躇のあったことと思われる。

一般町方の者など、たまたま下手《げて》の更紗キレを手に入れたとしても、下着のサバキか襦袢の類、袖口のスレ当ての隠しきれ程にしか使いものにならず、絹の更紗なら羽織のスベリにあてるなど、過ぎたる派手は動きの片端《はし》にチラリと見えるほどが洒落といい、・いきとはこうと反り身になって、お蚕方の野暮を嘲笑《わら》うとあっては、富裕の特権趣味はいつの世にも下世話のひんしゅくをかうは止むなきことかと思わされる。

しかし江戸も幕末の頃には、庶民の目も見馴れたものへの溶け入り、気安さも増してこようという気配となり、財力に物言わす呉服商や、新しい職種として登場し始める西洋服飾、利に敏く情報に通じた問屋筋との連携、合作によって、渡り更紗の異国調にみるハイカラと、旧来から馴染み深い友禅にみる懐古模様との融合、混彩《アレンジ》によって、「更紗友禅」また「友禅更紗」と称された新しい国産更紗、いうところの「和更紗」の本格的な生産が始まる。この種のものの第一の目的は安価に提供する庶民の布ということにあろう。それは折よく訪れた外来文化に揺れる時代の変革期ではあった。人々は何か目先の変わったものをと求め始めていた矢先に、この安価で華やかな大衆「和更紗」の出現は機を得た恰好の事業であった。流行はしだいに江戸・上方などの都邑から、地方諸国へと浸透し定着していったのである。

上方にはふるくからの渡り更紗の味を凌ぐといわれた華麗な「写し和更紗キレ」をつくる京・更紗師の一団があったといわれ、それは江戸末期にいたって京・堀川の辺りを中心に、伝統を継ぐ型摺染めを業とする通称“しゃむろ”(沙室師—暹羅染師)と呼ばれた職匠の工人達が住み付いて技を競っていたとある。これらの匠師によってすでに渡り文様、舶来更紗の図様など、殆んどは模写・複描されていて、その尨大な更紗文様の網羅、集成の大業が成し遂げられていたといわれ、その紋様は幾千種にも及び、大部分は型摺染め技法で“紋様染紙”とされ、それぞれの匠家に伝承の手控えとして所蔵されていたということである。

しかし近頃では、この集大成の模様控えも時代の変遷と共にしだいに散逸して残り少く、新しい作品で補足せねばならぬ現状でもあるといわれる。

江戸末期から明治年代をつなぐ動乱の期を過ぎ、やがて日本を覆う欧米文化の流入は庶民の日常生活の様式を急激に変貌させてゆく。特に明治維新後は上下をあげて文明開化の掛け声に明け暮れ、それは衣服の面にも当然大きな変革がみえ始める。その著しいものに、男女共々、ハイカラ指向への傾斜と、西洋服への関心、流行がある。特に女子の西洋服は華やかな雰囲気をつくり出し、“貴婦人服”などと名付けられ新しもの好き屋の垂涎を誘う。それは西洋服の出現もあってか、この頃から目立って“絹・和更紗”の進出が、摺り染薄手の木綿更紗と共に洋服装の素材として、その需・給の幅を広げてゆき、単に上流階級のものだけでなく大衆庶民の員数《かず》もかぞえ入れての確実なはやりの規模で文明開化の巷の風物を彩り、服地もさりながら男女のシャツ・肌着の類から、パラソル・襟巻・小袋物・足袋・布カバン・信玄袋・財布・小物入れ・文包み・風呂敷等々、日常茶飯のものにも手軽く用いられるようになり、明治も15、6年にいたっては、名だたる“鹿鳴館時代”といわれる特異な欧化一辺倒の熱風期を迎え、日夜を分たぬ華やかな円舞、奏楽の宴の中に、花模様の更紗の夜会服など靡かせた上流婦女子たちが、西欧人たちと手を組み流れるように戯れ踊る、眩いばかりの舞踏会の賑いは、ほんの少し前の幕府瓦解の頃には考えられなかったこと、この新しい明治風俗の揺籃は、ここから……ここに始まったのである。

ここで奇しくも思いいたるのは、室町～江戸初期へと遡る、長崎出島の南蛮貿易によって開かれた紅毛文化・文物の到来。そして流行した“渡り文様の更紗キレ”—いま不思議の縁と感じるのは、四百年の時を経た長い鎖国の末に再び迎えた文明開化の明治初頭、それがまた

「更紗」の流行で幕を開けることの不思議さに思い当たるからである。

当時(明治初年〜中期)の地方呉服店や唐物小間物屋等の引札、広告の類にも「舶来・西洋布更紗」「西洋金巾さらさもの」「舶来西洋布・更紗袋物」などとあり、地方では絹更紗は和装着物、羽織裏地、長襦袢。木綿友禅更紗は着物・ふとん表・道具掛け・帯地・袋物などと、どの地方でも大体同様の用途に使われていたことがわかる。

前述した京・堀川にあって「和更紗」つくりに明け暮れた江戸末期から明治の期にかけて、江戸には「江戸更紗」といわれた型摺染めに秀れた"江戸更紗師"のあったこともつとに知られたことであるが、往時の末裔である幾軒かが—"更勝""更甚"など、古い名賑である更紗染師の伝統を守って、今日なお健在であると聞くのはよろこばしい限りである。

そしてまた一方には世情の移り変わりとは無縁に、地方特有の歴史と不自由な環境のなかで、それ故になお特有の「和更紗」を不屈の研鑽と独自の技術によって守り抜いている工匠の多々あることを深く銘記せねばならぬと思う。地方の名を冠して名のあるものに鍋島更紗・長崎更紗・天草更紗・出雲更紗・堺更紗・(京)堀川更紗・江戸更紗・仙台更紗・南部さらさ・秋田更紗等々とあるのがそれである。

特に本書中に取り上げた「型摺染め更紗紋様紙」の大部分は、江戸末期以来、京・堀川連、沙室師の流れを汲む某家に伝えられていたもののうち、ある時期、懐古裂研究会の蒐蔵するところとなり、その一部を選出して図録を編み、補足的にむかしぎれの変わり模様なども挿入して、諸匠の座右の参照に資すればと念願して上梓したものである。

型摺染め紋様紙は、その一枚一枚、いずれもが熟達した摺師によって幾枚もの型紙の重ね摺りの手法で行われ、型紙の数も、一模様で20枚、30枚またそれ以上、多数の型紙を用いる労作によるものなのである。

ここに収録したものは、いずれも江戸末期から明治初年〜中期にかけての紋様紙の種々である。この紋様紙というのは本番の布への模様摺りを行う前段の試し摺りの控え柄取り用であって、摺り師の手控用に、またたまには大店の呉服舗等に見本用のためにおくるくらいのもので、紋様紙自体として（千代紙などのように）市場や、一般に売り出されることは殆んど皆無といってよい性質のものなのである。

本書は装飾パターンを視覚的に観察、応用されるために配列し、でき得る限り具体的に歴史的な伝統の「渡り更紗」の文様を、また舶来後に国内で幾度か咀嚼、国産化された伝承の「和更紗」の紋様と共に、その色調の在り様を、色摺り図版の展開によってまとめ、各項の様式や古典の示す未知のものへの虚心な模索などの用に供することを第一の目的として編纂された書冊で、特に理論的な探求や象形的な実証を検討するためのものでもなく、先人の労作や忘れられたものを繰り返し直視することによって、新たな会得を成すためのささやかな手引きとして利用されることを願ってのものでしかない。

昭和51年2月

京·墨染　深草庵にて

型染……試摺り紋様紙の実物

型摺染め紋様紙は、その一枚一枚いずれもが、熟達した摺り師によって、幾枚もの型紙の重ね摺りの手法で行なわれ、型紙の数も、一模様で２枚型から10枚、20枚～30枚またはそれ以上の型紙を用いる労作のものまである。

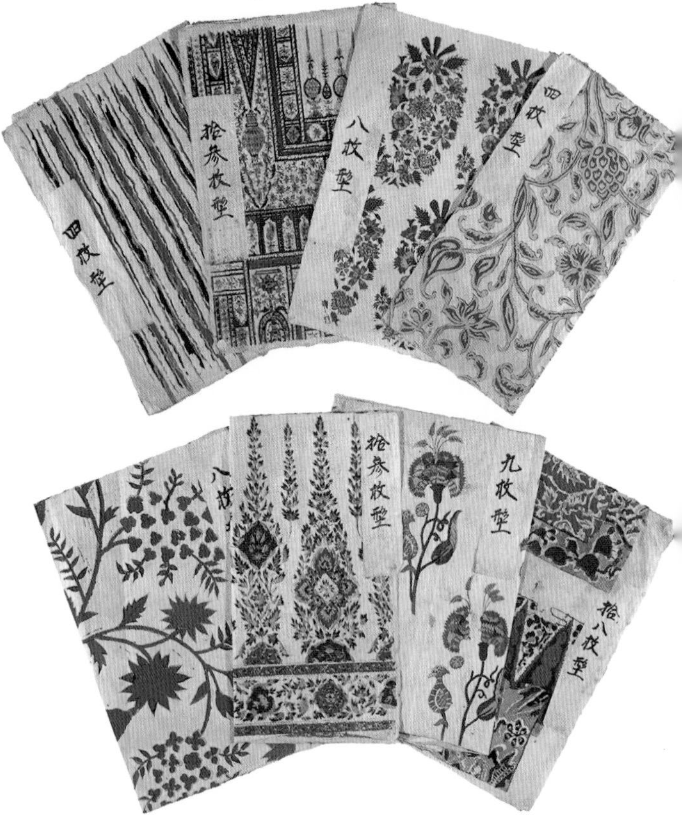

拾叁枚型

九枚型

拾叁枚型

拾七枚型

拾六枚型

七枚型

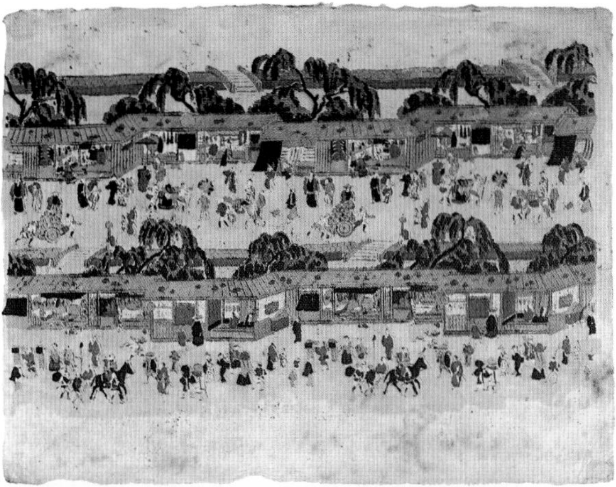

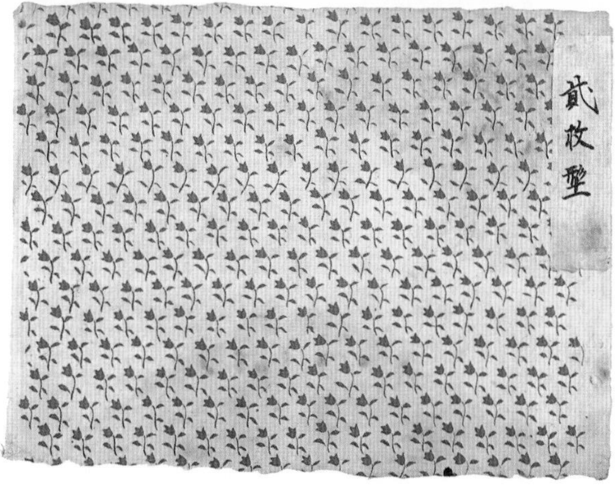
貳枚整

型染……染布柄手板の実物

染布柄手板とは、染め柄見本帖のようなもので、江戸時代から明治の初期頃には呉服店や染物店などが、型染めの染め柄見本帖として使用していたものである。

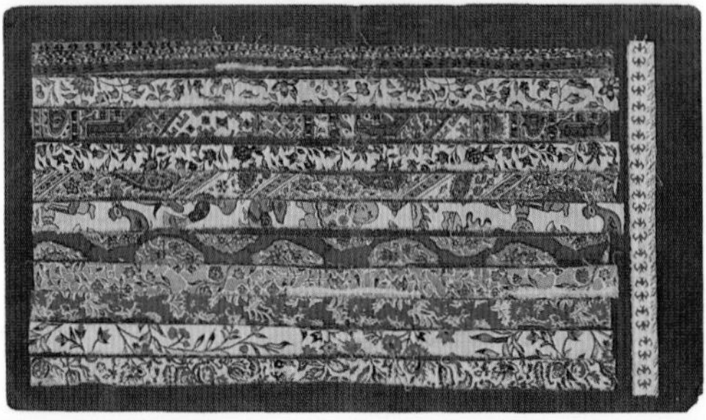

紋様キレ……使用実物例

ここに収録した和更紗紋様キレを使用した実物の数々は、おもに江戸末期から、明治初期～中期にかけて広く、一般大衆に使われていたもののうちからたまたま懐古裂研究会が所蔵していたものを、本文参考の手引に供するため収録したものである。なお書物表「赤穂浪士」のみは昭和初期のものである。

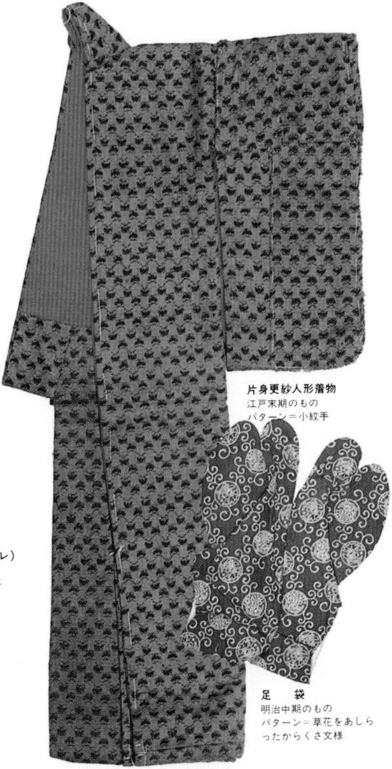

片身更紗人形着物
江戸末期のもの
パターン＝小紋手

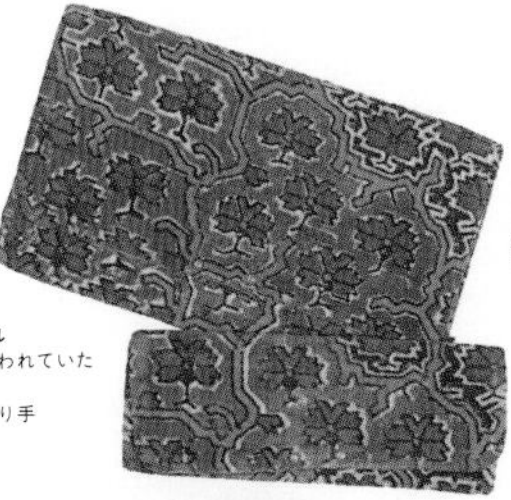

親子小物入れ
江戸末期に使われていた小物入れ
パターン＝渡り手

風呂敷（包みキレ）
江戸末期のもの
パターン＝草花手

足　袋
明治中期のもの
パターン＝草花をあしらったからくさ文様

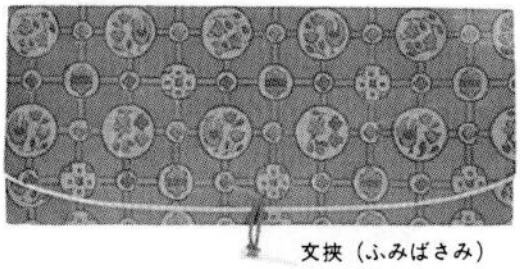

文挟（ふみばさみ）
江戸末期に使われていた書類入れ
パターン＝花鳥手

書物表《おもて》（装幀キレ）
昭和４年に出版された大佛次郎著『赤穂浪士』（改造社版）の装幀
パターン＝創作更紗

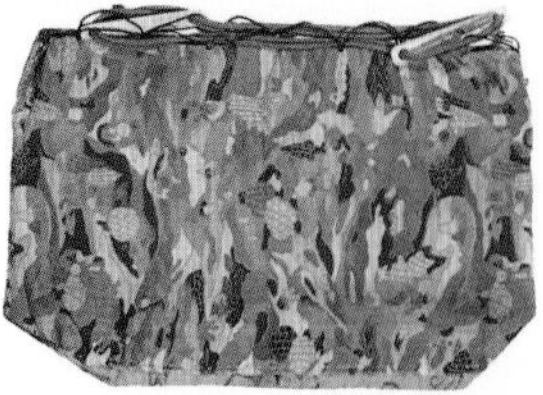

手提袋
明治中期に使用されていたもの。
パターン＝人形手

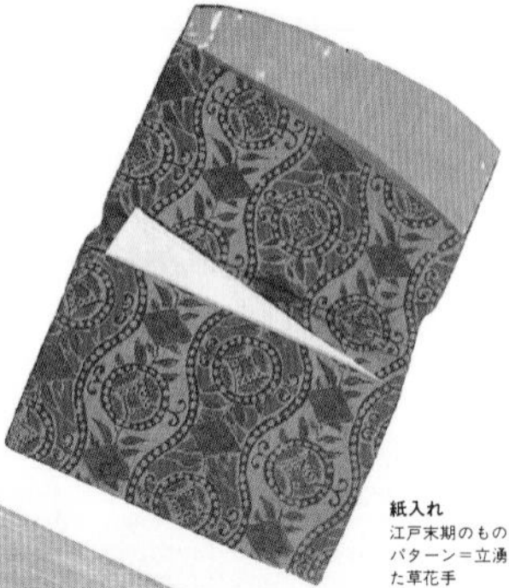

紙入れ
江戸末期のもの
パターン＝立湧を利用した草花手

書物表《おもて》（装幀キレ）
文政8年に出版された『女教訓身持鏡』の表紙に使われた更紗キレ。
パターン＝草花手

A　B　C

手提袋・信玄袋
江戸末期から明治初年頃のもの。
パターン＝Ⓐ友　禅　Ⓑきっこうの小紋　Ⓒ渡り手

揚子入れ
江戸末期のもの。
パターン＝花鳥手

草花手

更紗紋様の中で、最も多い種類である。文字どおり、草・花・葉・木を主題としたもので、花、草の単独であったり、両方を寄合せたパターンの組合せで、茎・蔓・葉の部分等が唐草文の形を作ったりして、変化に富んだ無限の紋様を展開する。
大形花文、中形花辨も多く、小形花文は小紋の分類とした。近年女性服地模様の大半を占めるのが、小紋花とこの草花手といわれる。

主たるモチーフ

日本のもの……菊・楓・百合・柳・柘榴・茗荷・唐草・笹葉・胡麻・牡丹
外国のもの……バラ・ヒヤシンス・チューリップ・糸杉・聖樹文・コスモス・ヒマワリ

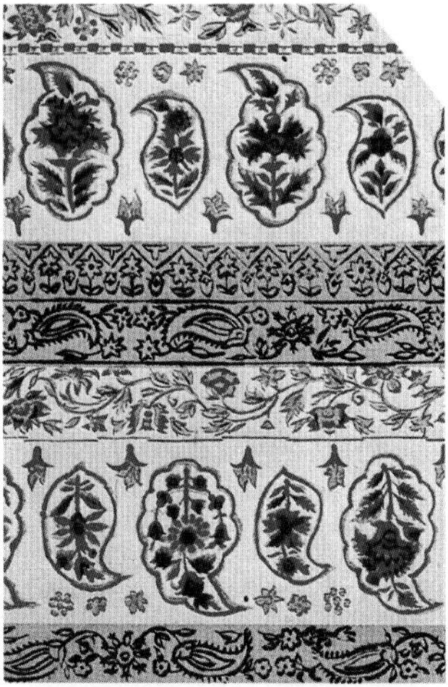

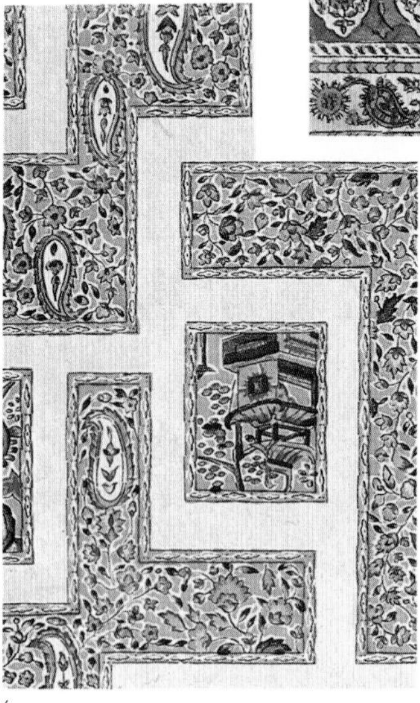

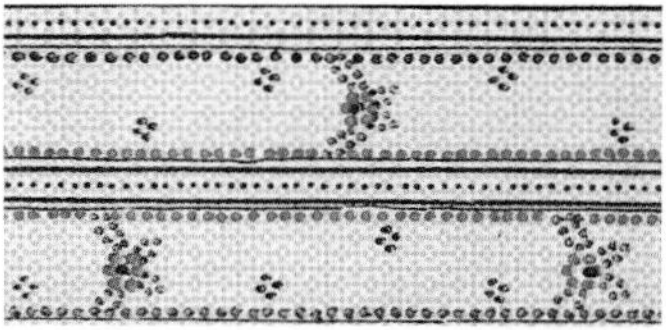

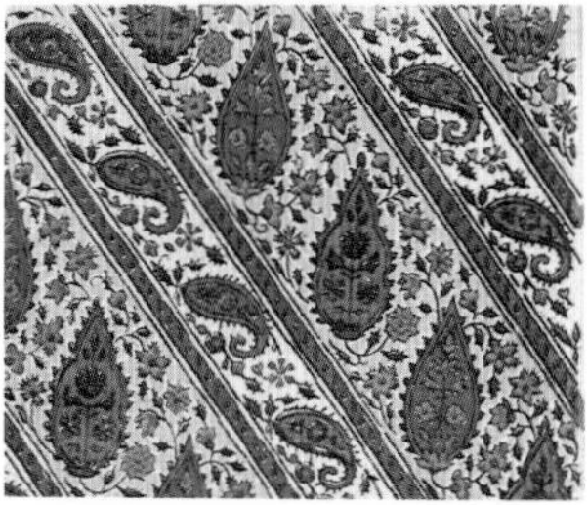

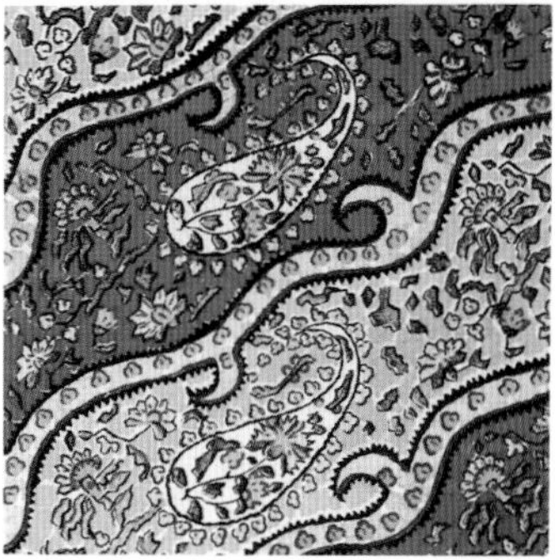

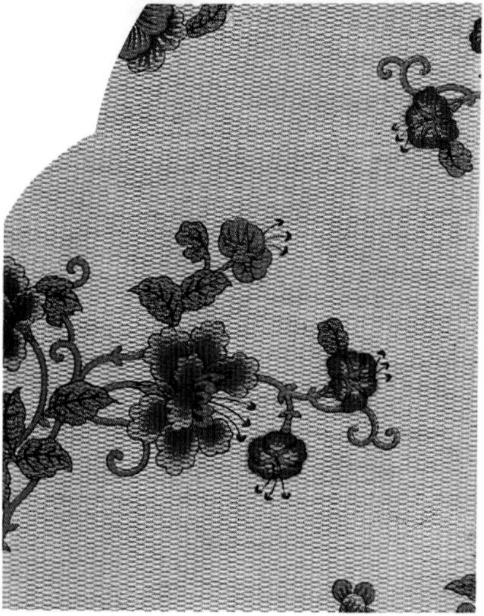

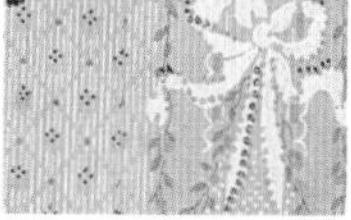

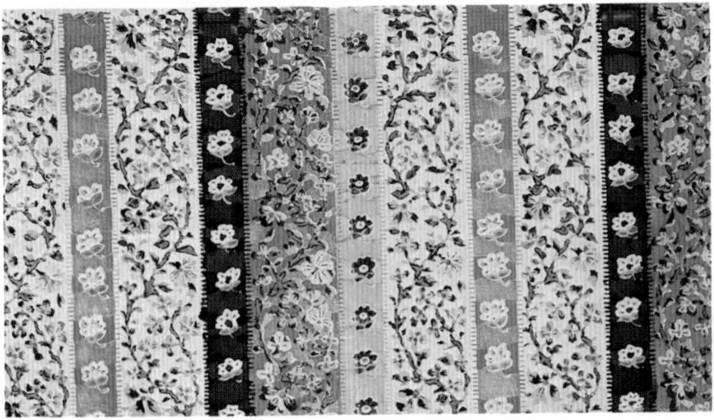

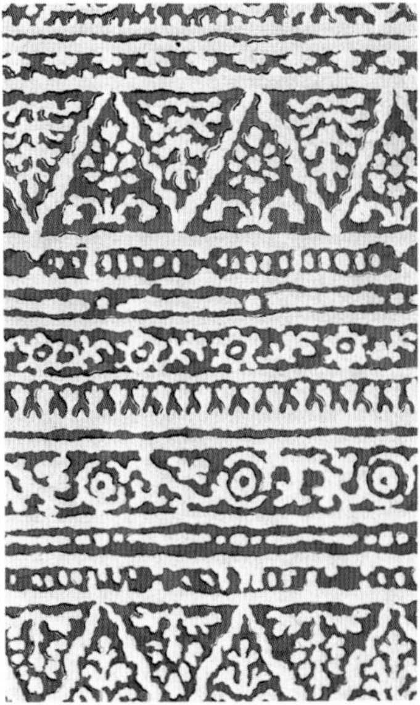

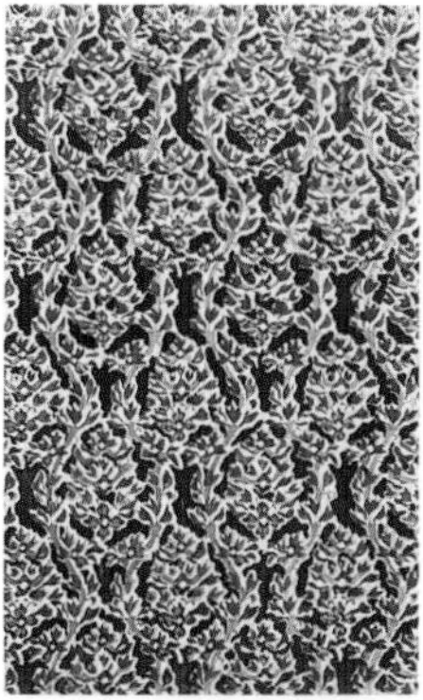

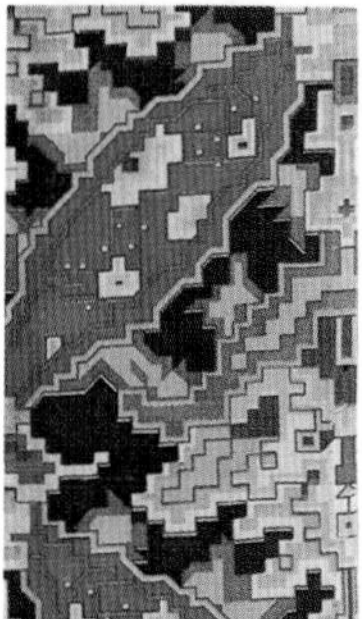

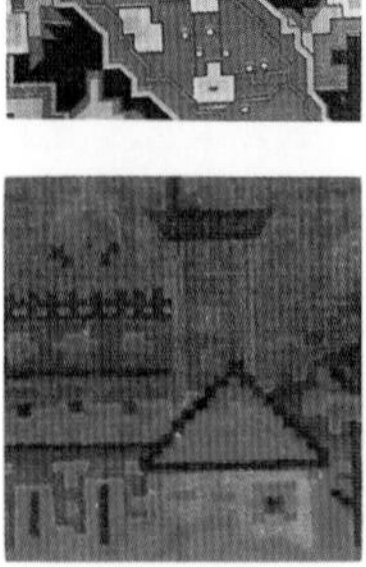

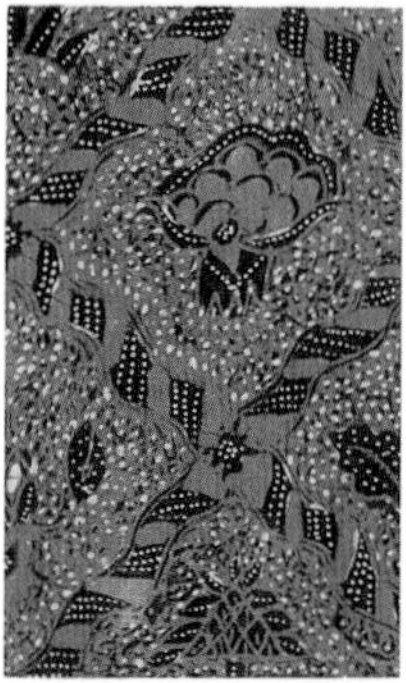

小紋手

小紋といえば、江戸小紋とすぐ続いてしまうほど日本の代表的文様であるが、更紗の小紋は色調がはるかに華やかで、やはり異国調の模様変化が、小紋特有の小柄の幕となって、装う人を優雅に浮出させ、常に巧まぬ演出をするのが更紗小紋の特徴である。そんな意味からでもあろうか、草花文と並んで四季の女性服また男子Yシャツ類に人気を続けるひとつである。

主たるモチーフ

日本のもの……カタバミ・イチゴ・菊垣・芥子・銀杏葉・和唐草・巴・紋尽・霜降・木賊・銭菱・笹蔓・七宝つなぎ・桜花・梅花・風車・矢車・麻の葉
外国のもの……ペルシャ小紋花・インドネシア小紋花・小紋バラ花・コスモス

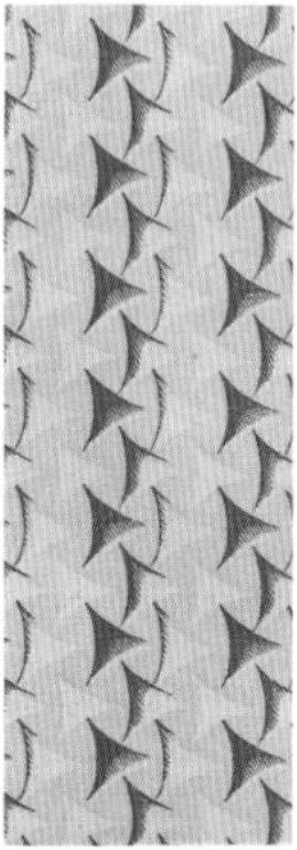
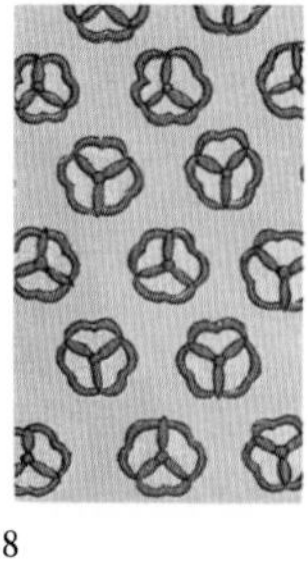
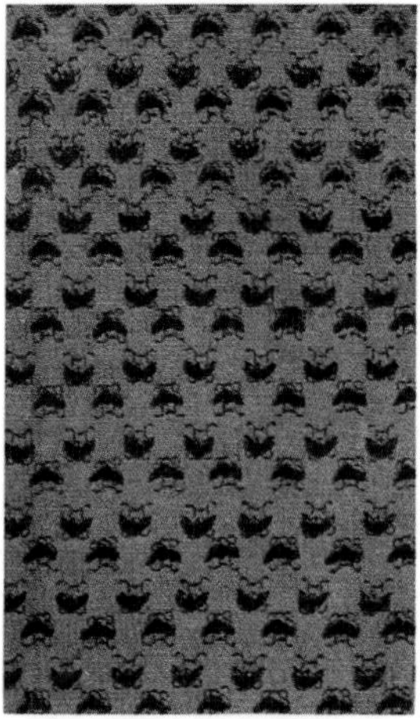
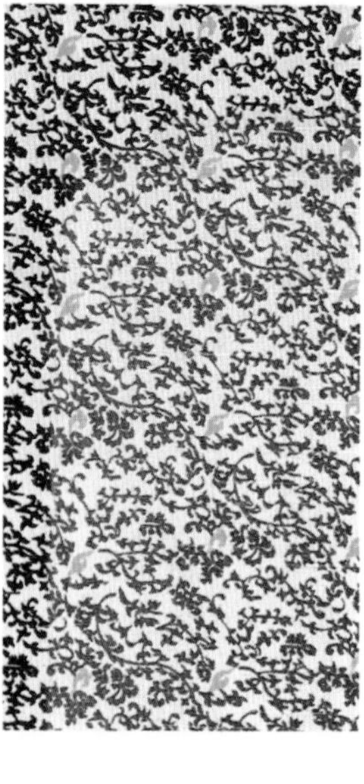

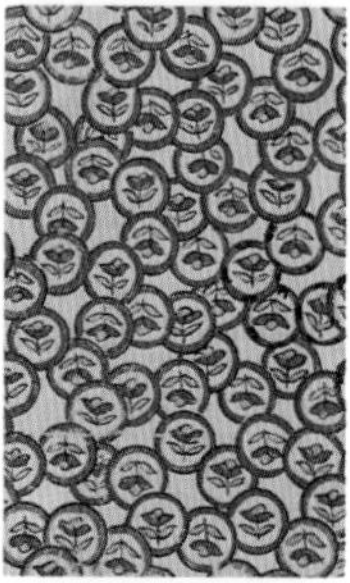

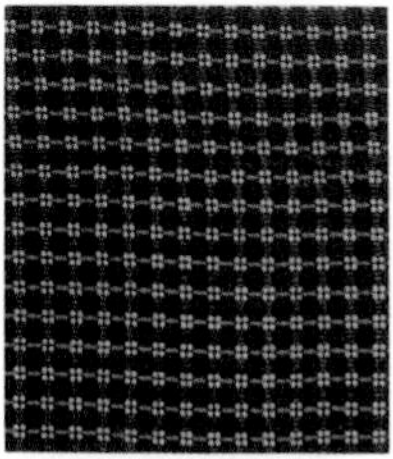

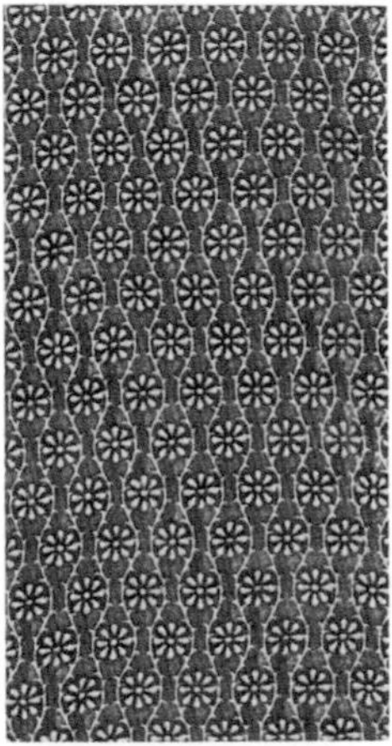

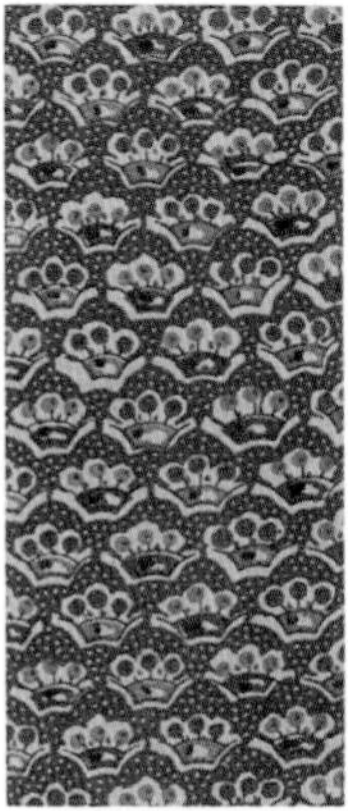

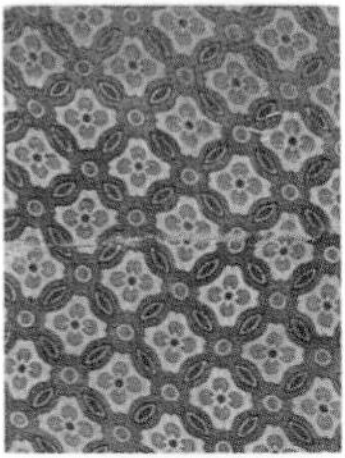

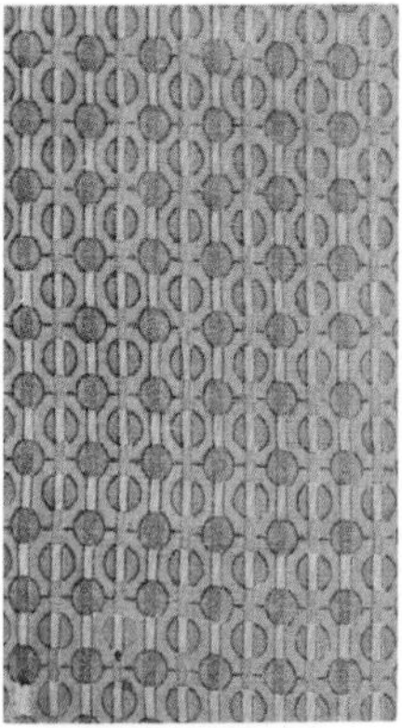

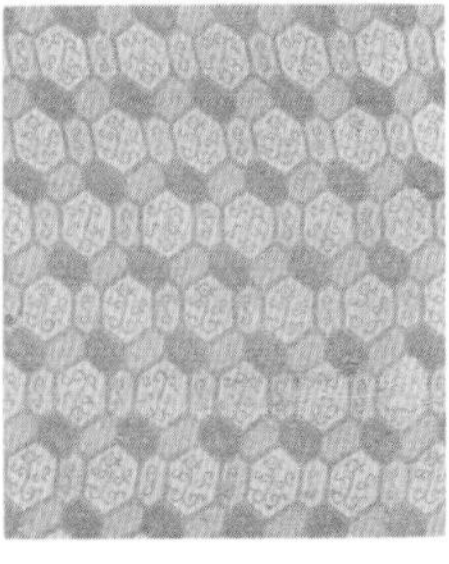
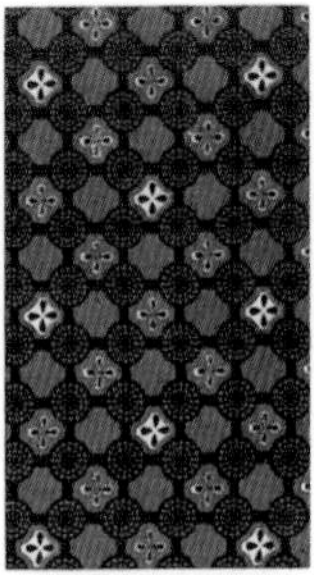
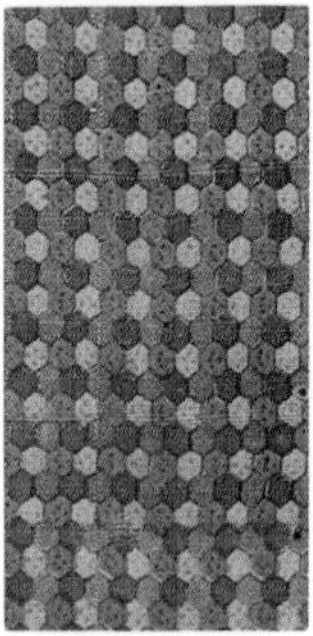

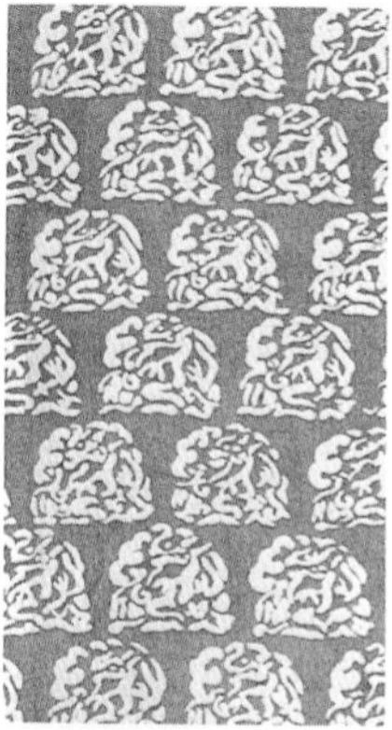

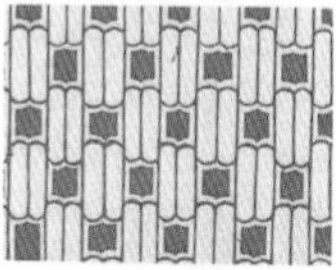

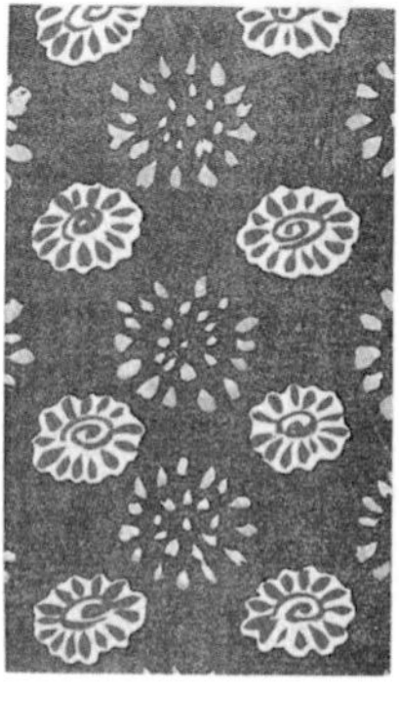

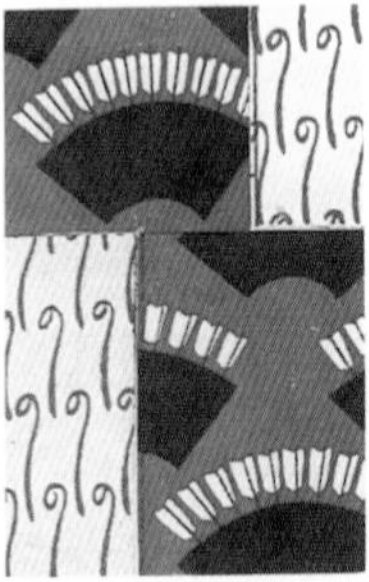

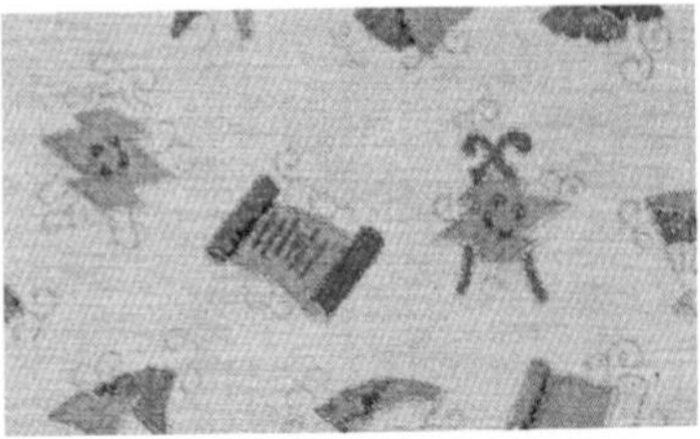

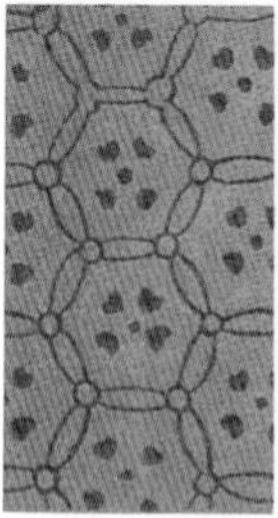
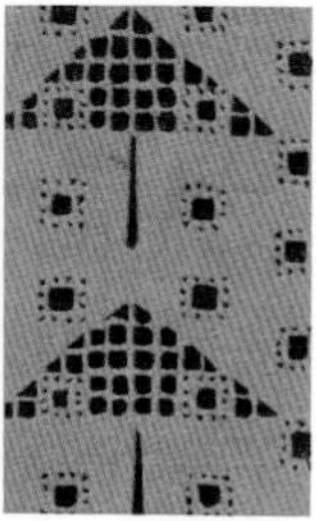
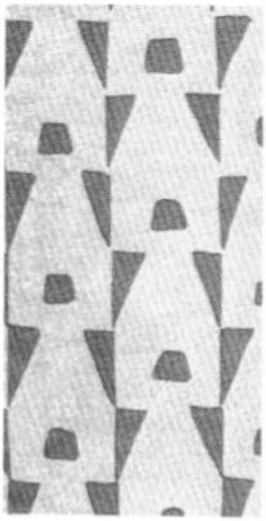
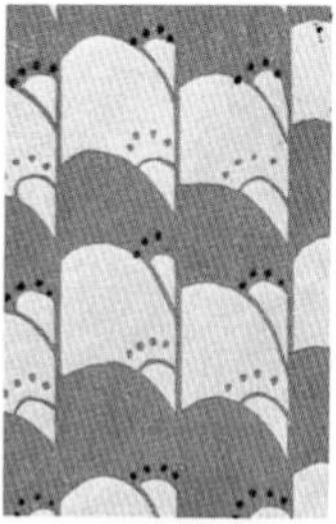
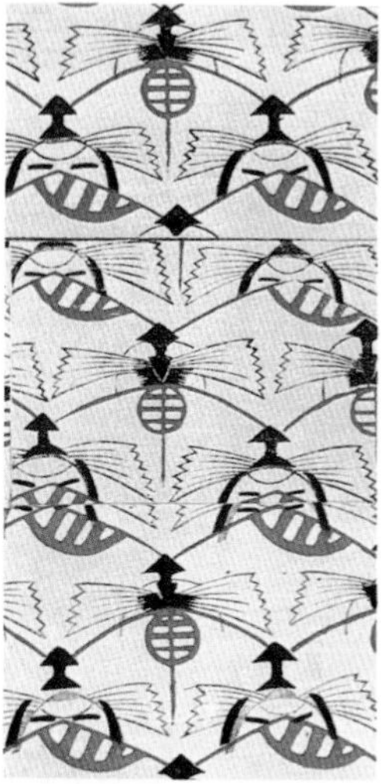

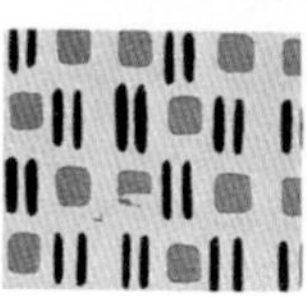
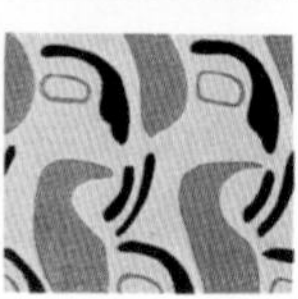

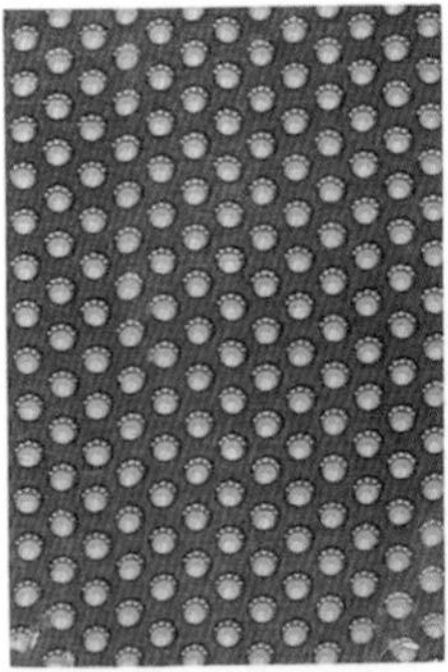

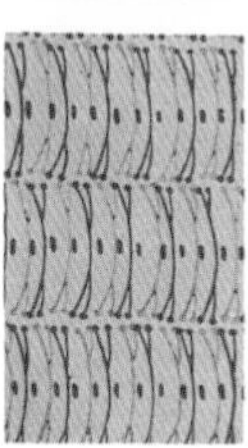
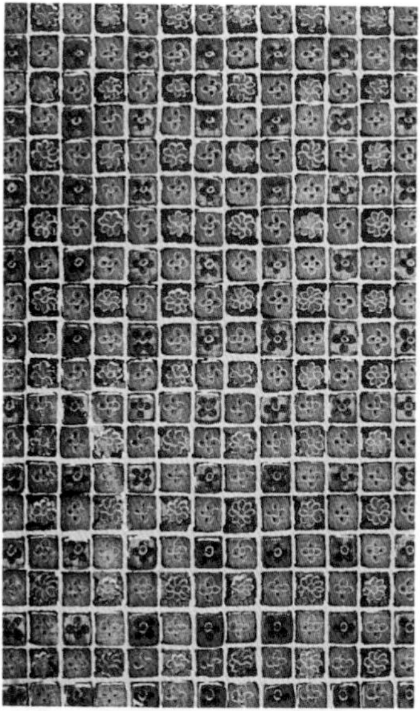

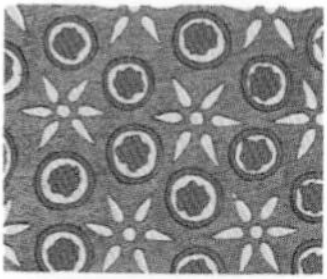
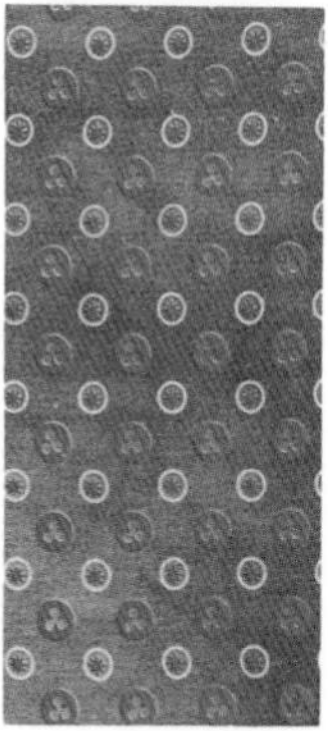

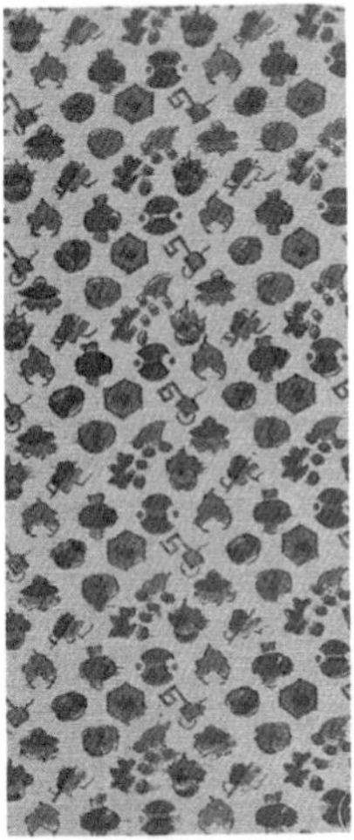

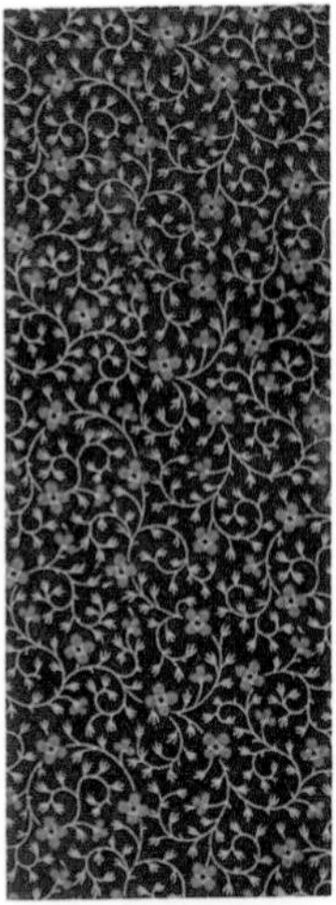
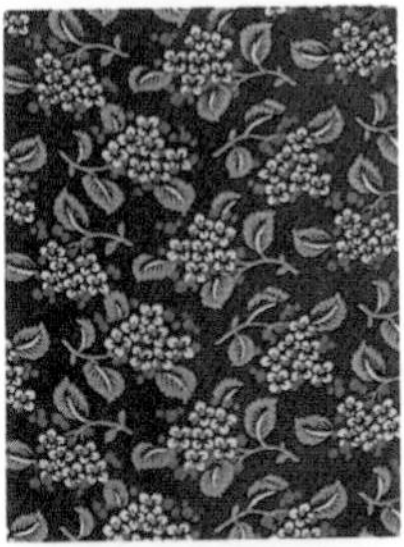

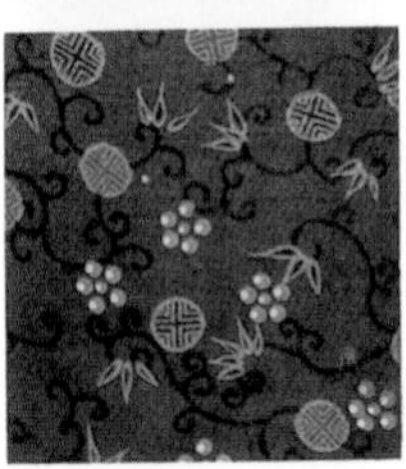

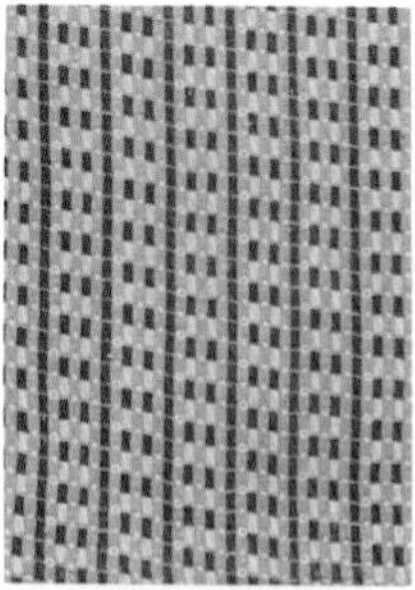
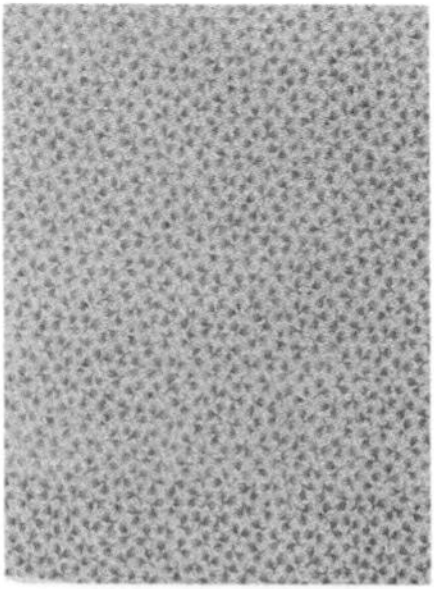
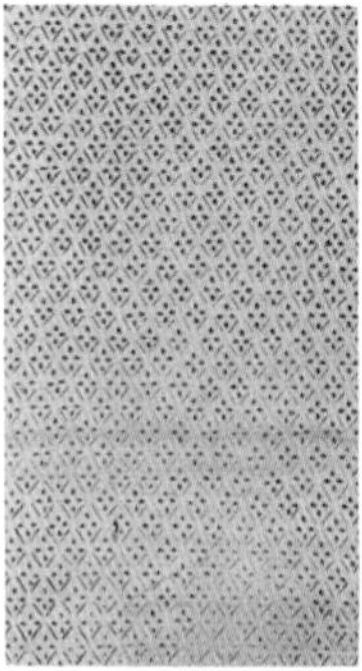
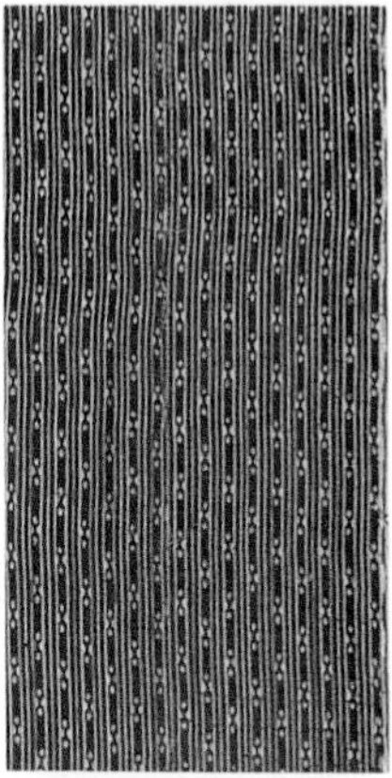
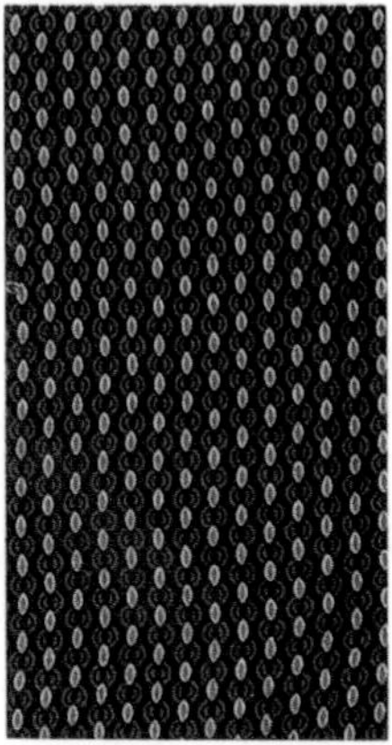
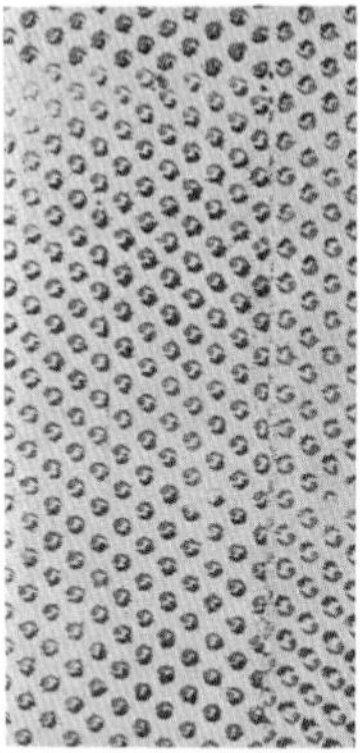
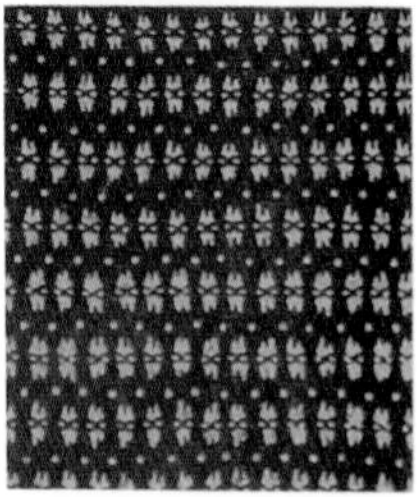
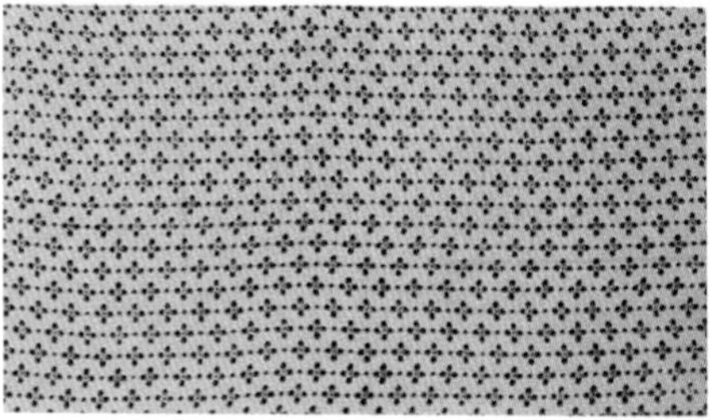

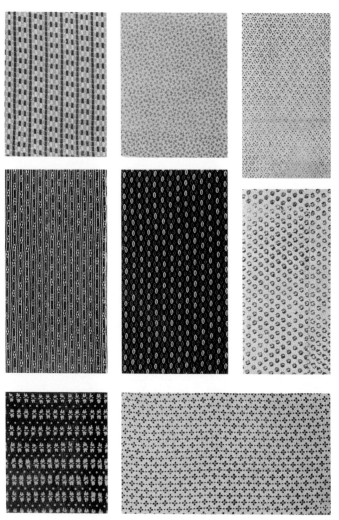

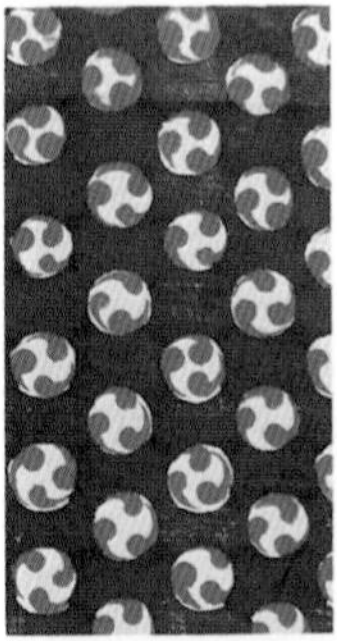
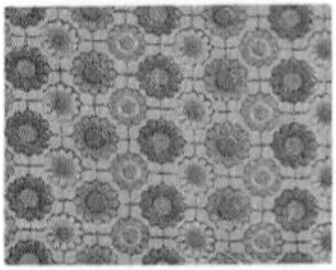
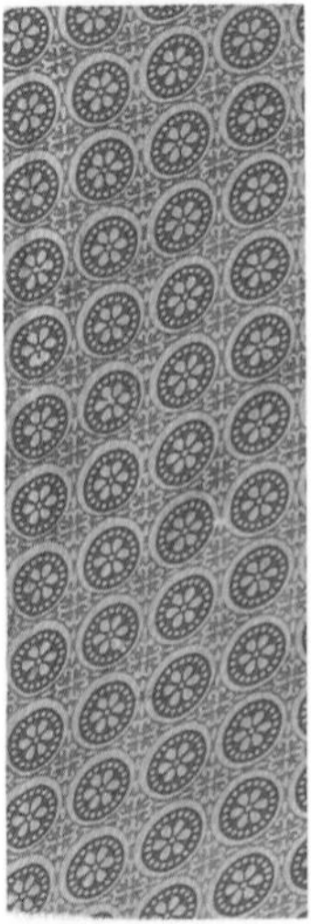
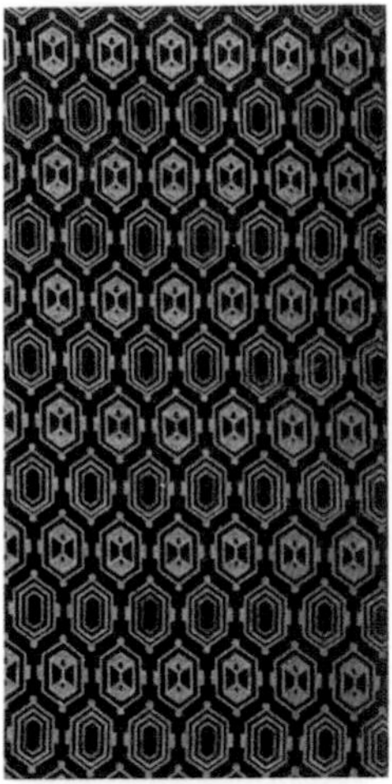
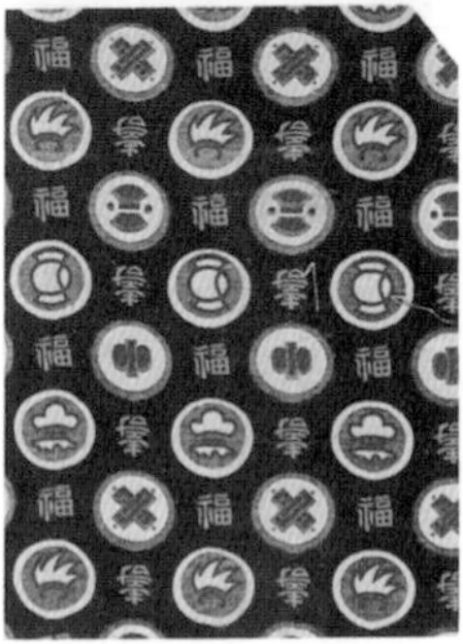
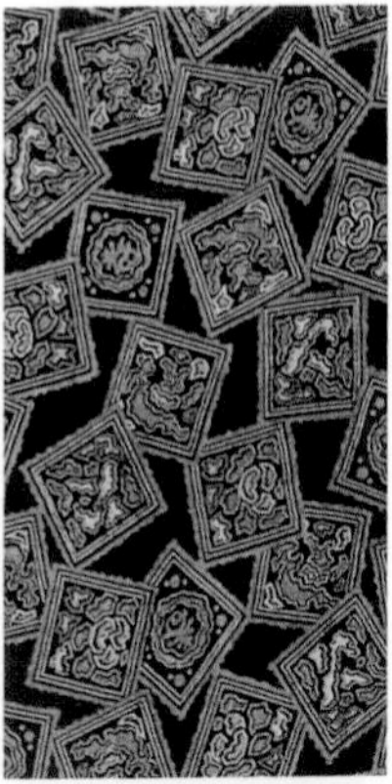
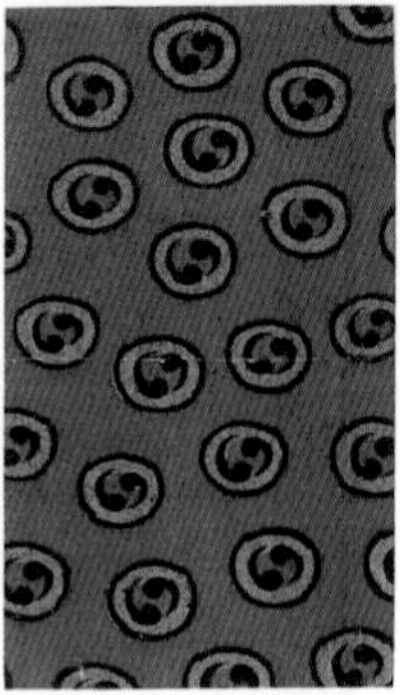

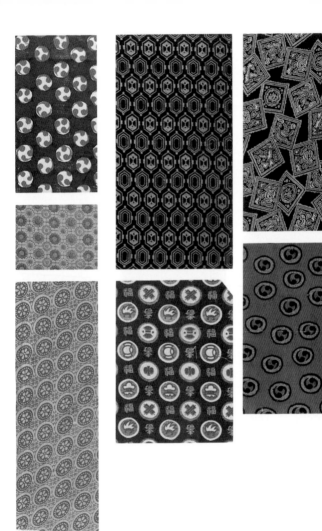

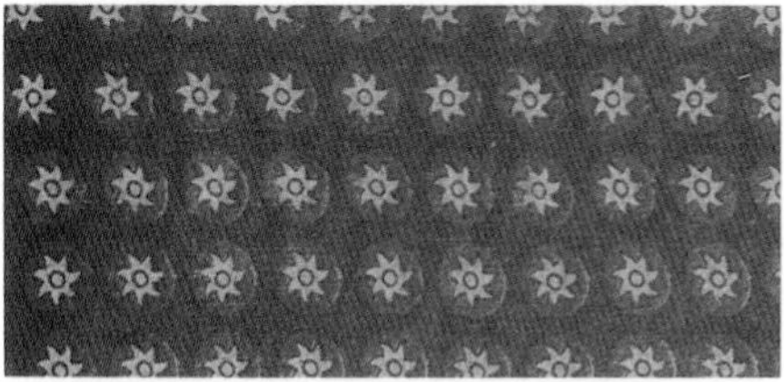

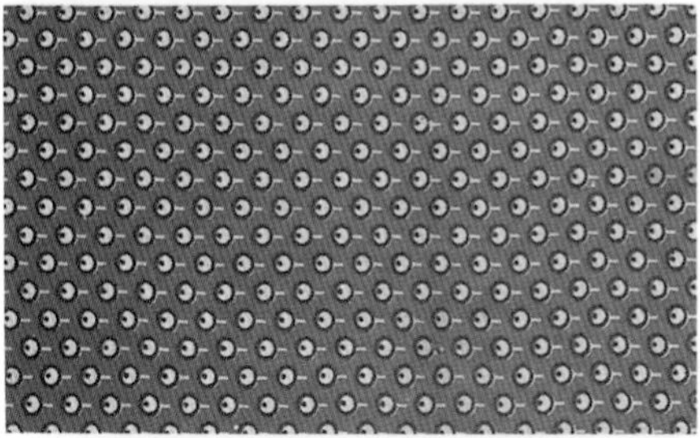

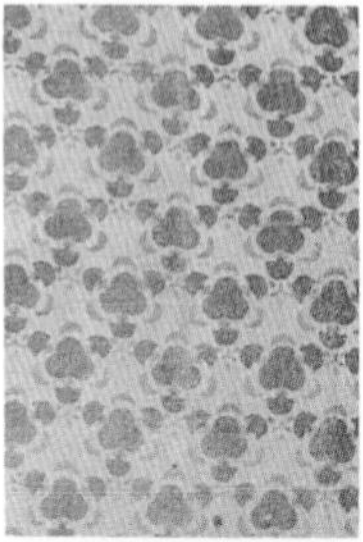

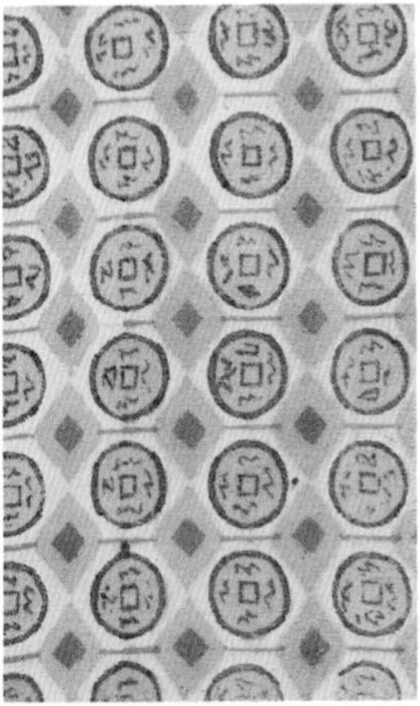

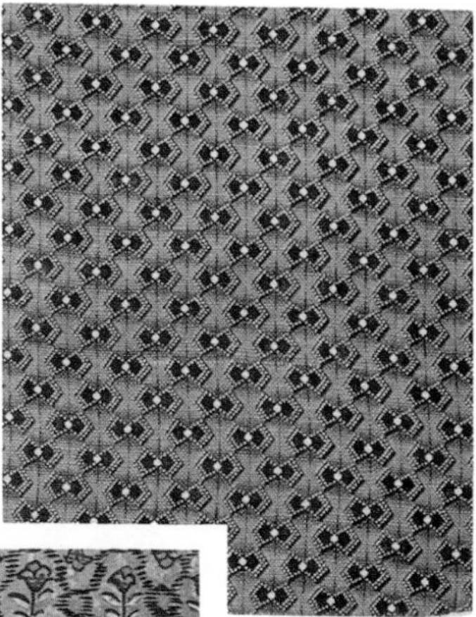

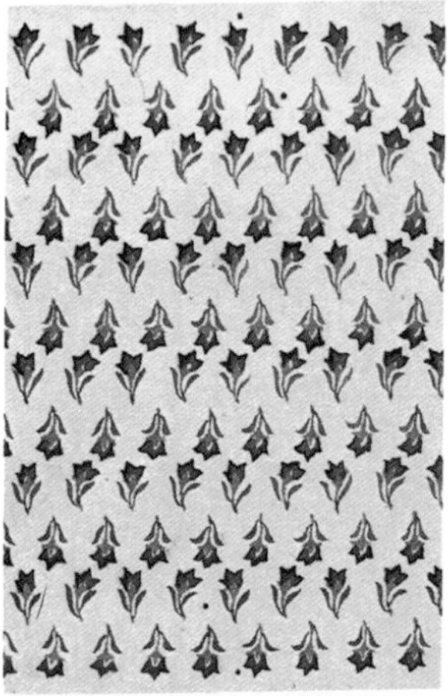

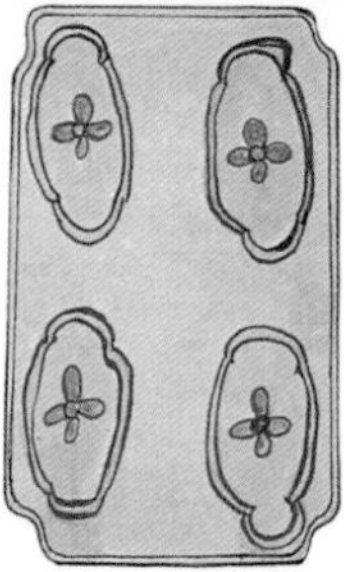

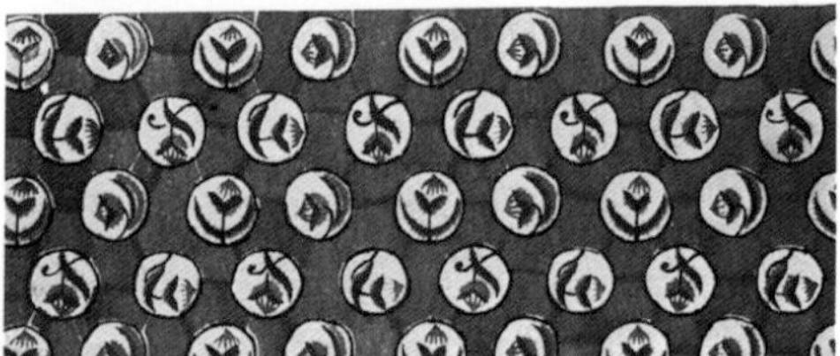

友禅更紗手

渡りのサラサは、価の高さもさることながら、昔の一般男女にとっては、あまりに珍奇で異国的すぎたので、抵抗の少ない伝統の友禅模様と結び合せて、優雅な「和更紗」の発生となり、のちに「友禅更紗」また「更紗友禅」と呼ばれ、江戸、上方から地方農、山、漁村まで着物・ふとん地・袋物・小物用として浸透普及したものである。

主たるモチーフ

日本のもの……団扇・扇子・輪違・小ギレ散・匹田・松・竹・梅・モミジ・宝尽・牡丹花・菊花・花菱・大紋唐草・枕手・立湧

外国のもの……中形木瓜

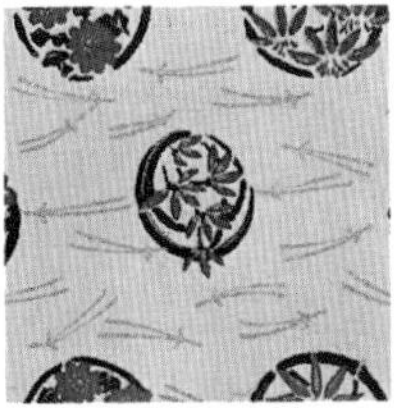

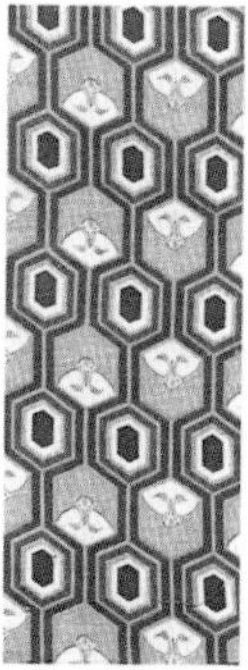
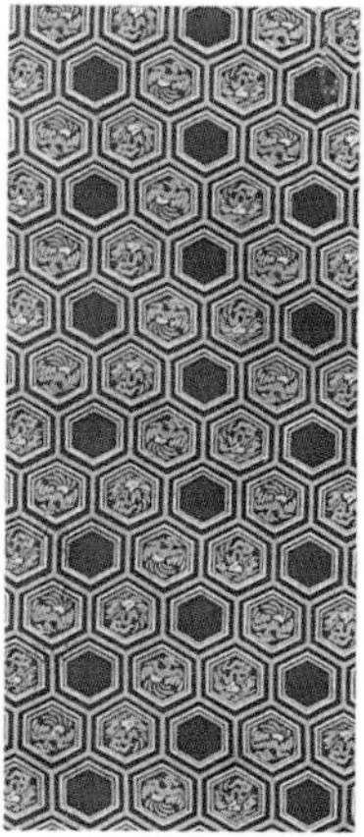
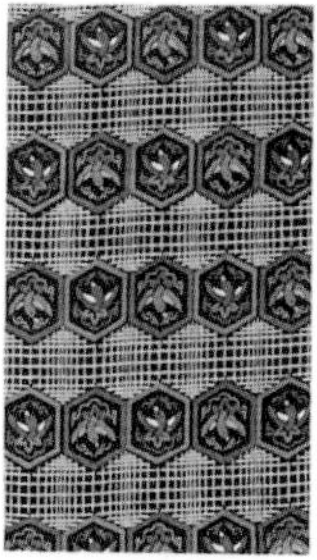
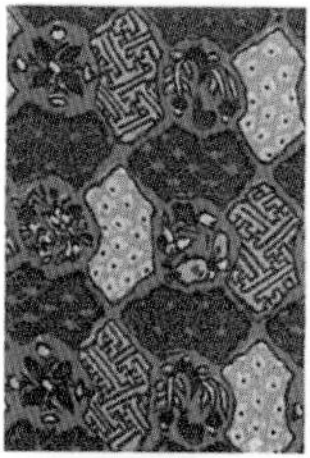
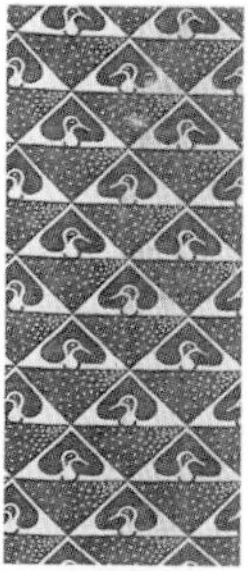
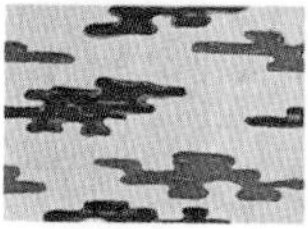
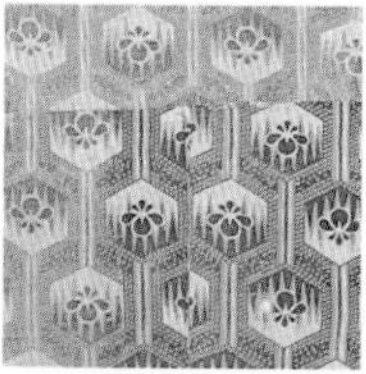
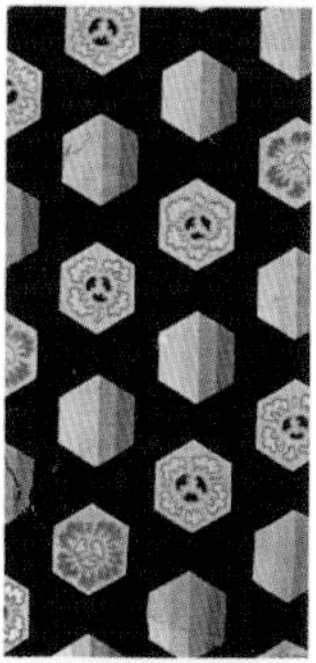
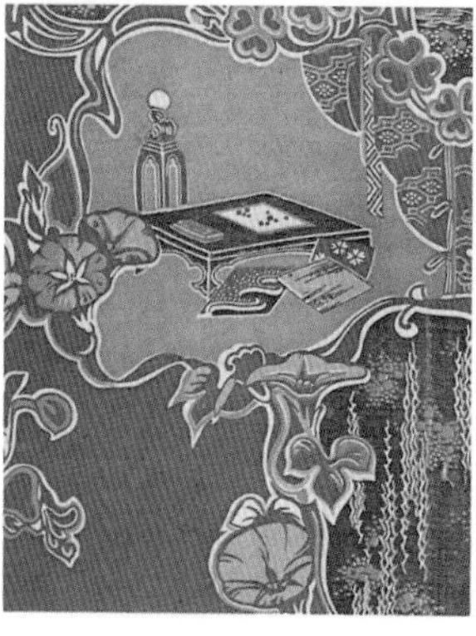
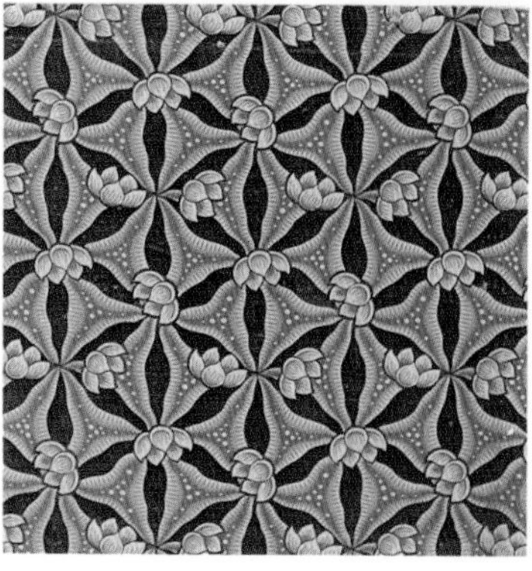

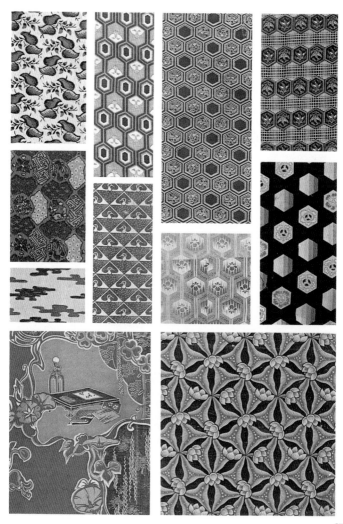

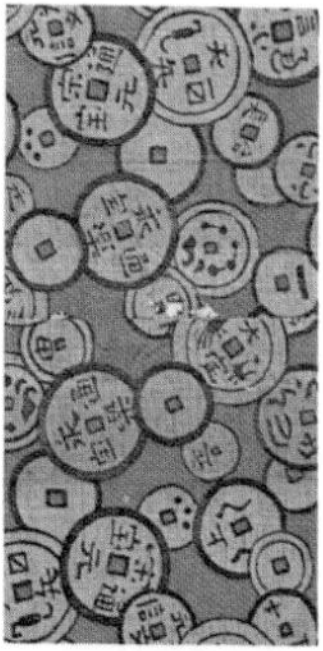

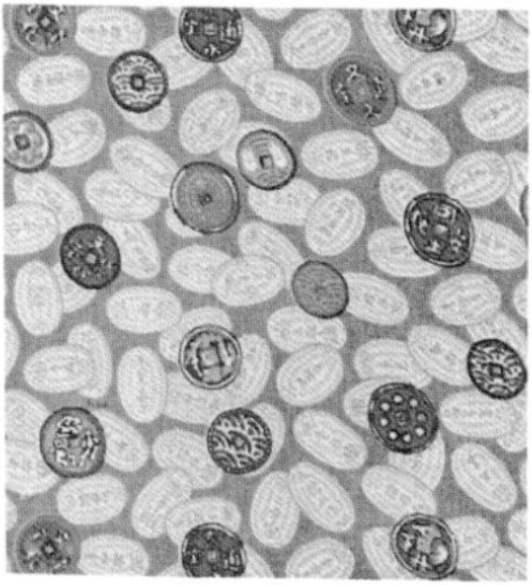

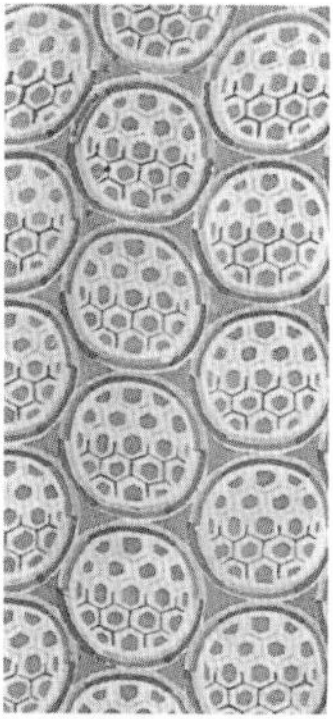
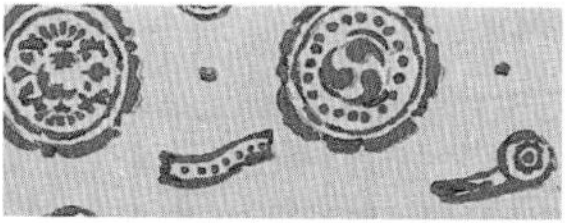

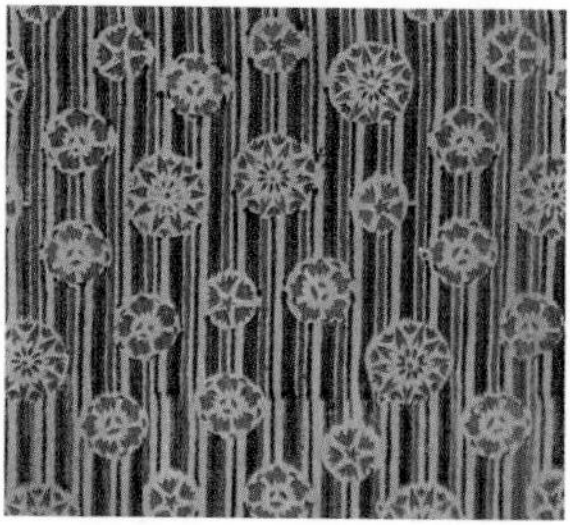

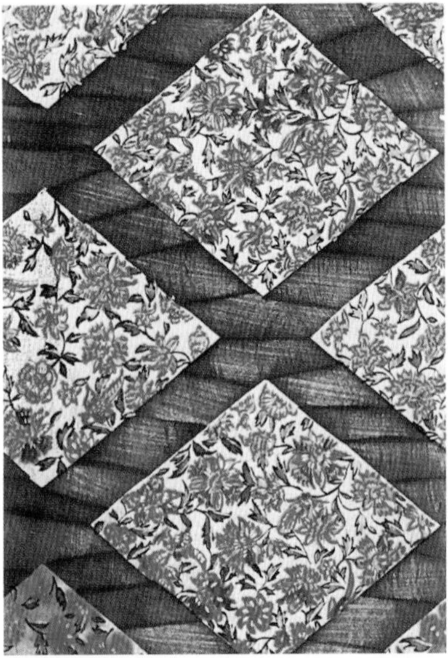
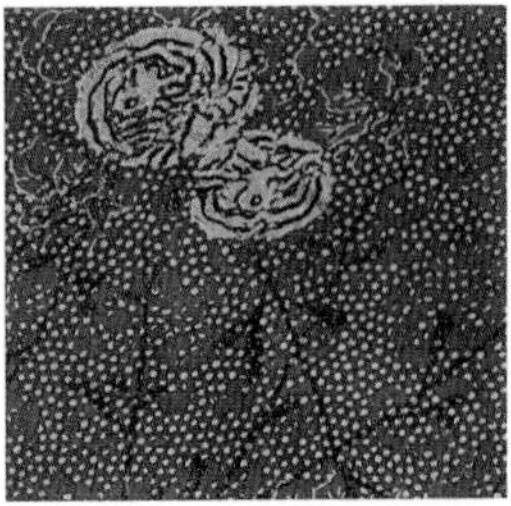
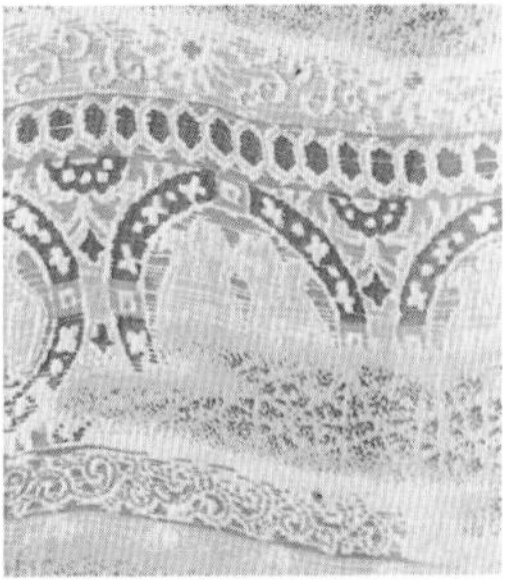
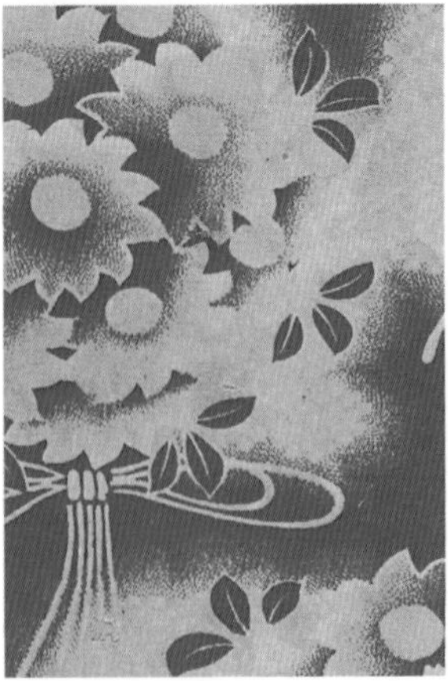
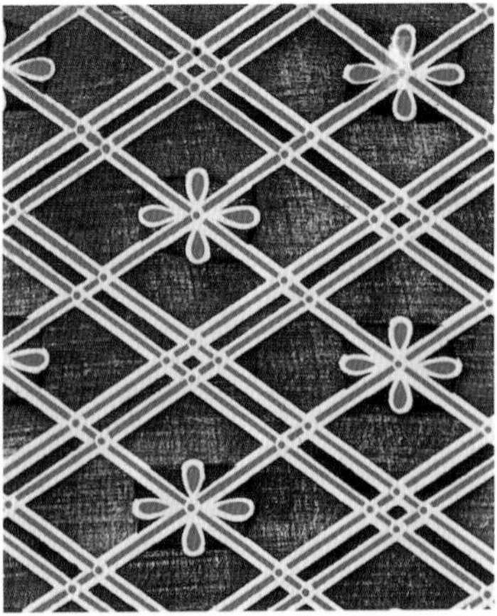

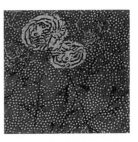

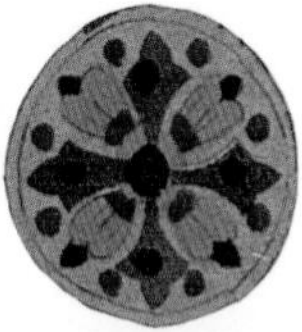
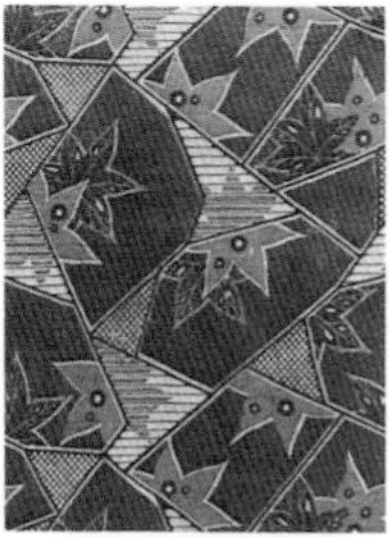

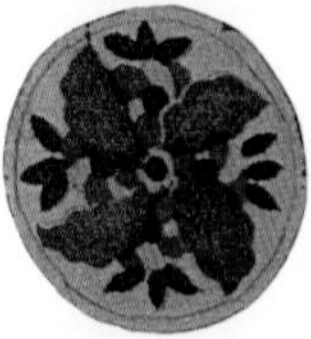
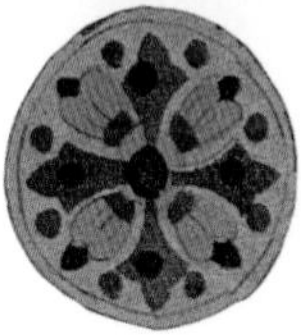
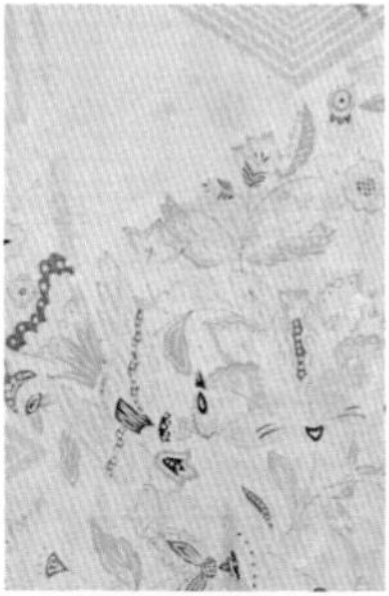

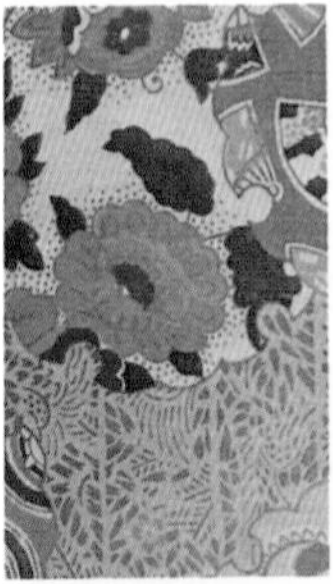

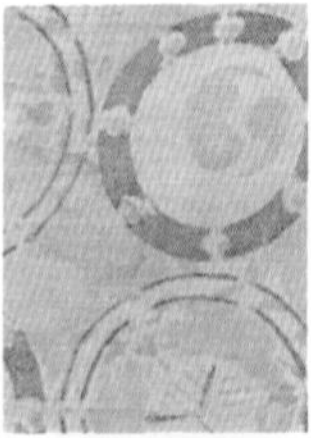

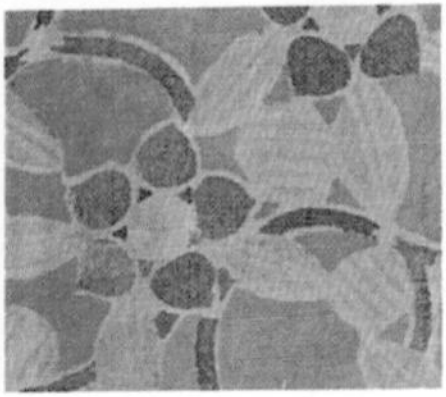
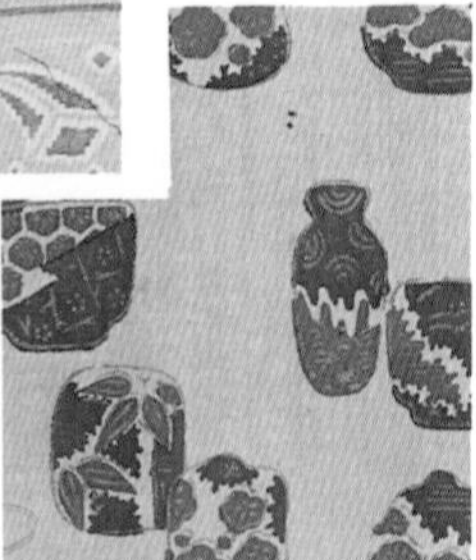

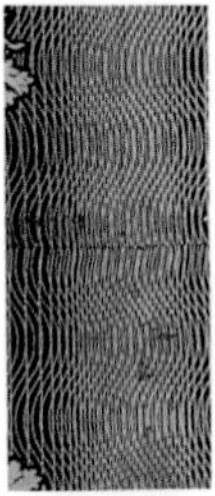

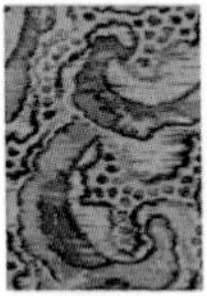

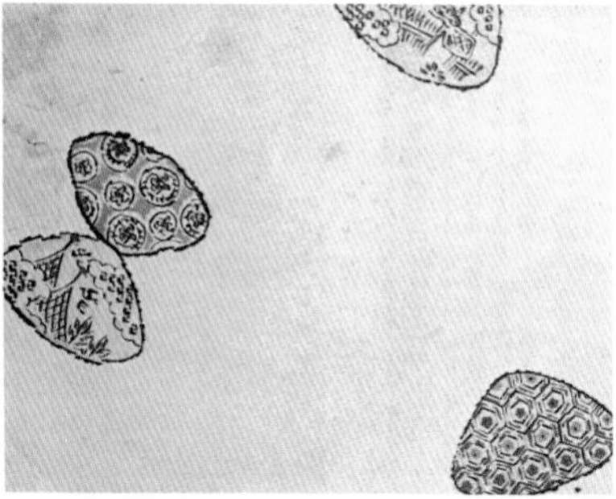

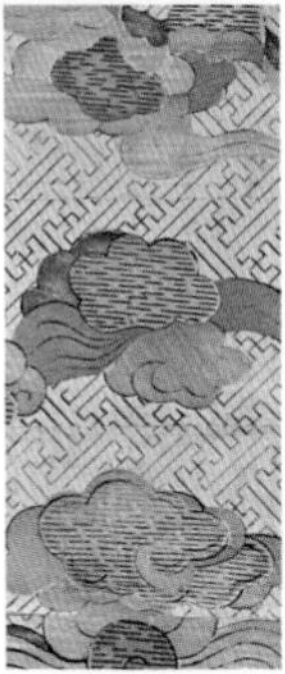

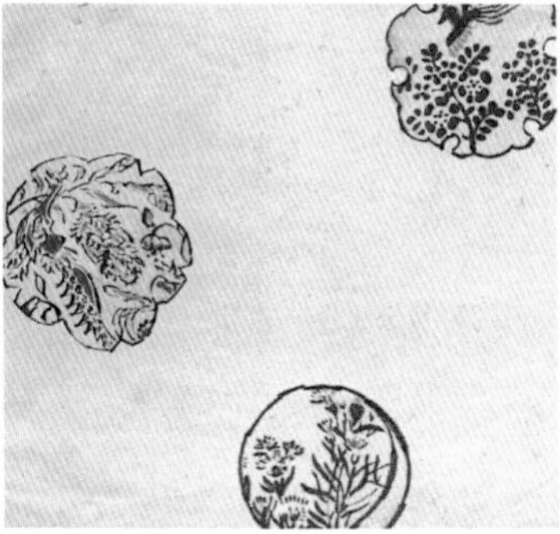

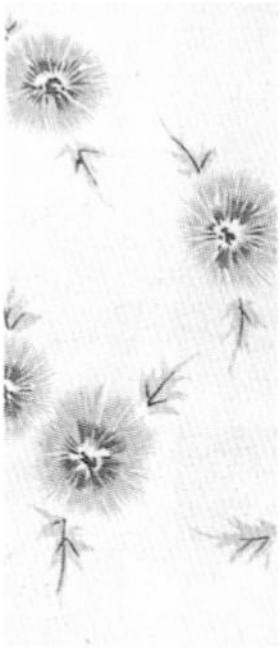
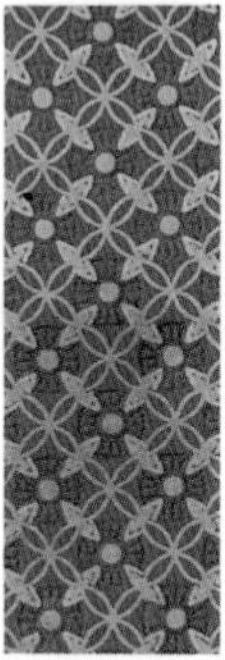

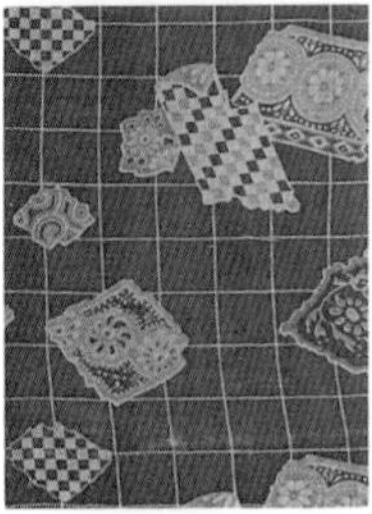

人形手

単に文様の連続と、変化のおもしろさを組合せたものから、呪符的な意味合いの人形文、宗教や説話、絵解きの類、特にタペストリーなどには、暦・星座に当てはめた人形や怪奇人物像などがあるが、普通には可憐な人形や、異国人物絵、諧謔《カリカチュア》的人形などが一般的な嗜好に合うといわれ、衣料の場合は大柄は不向きといわれている。

主たるモチーフ

日本のもの……唐子人形・人の輪・人形《ヒトカタ》・人面・京人形・ヒナ人形・玩具人形・七福合せ

外国のもの……マーメード・騎馬人物・仏手・唐子・童子・影絵人形・芝居人形

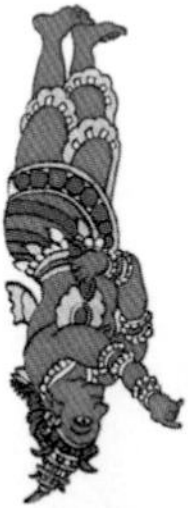

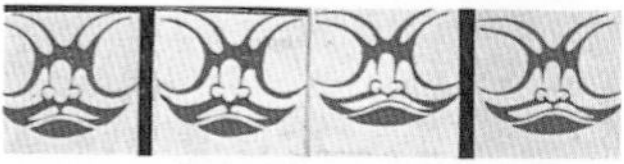

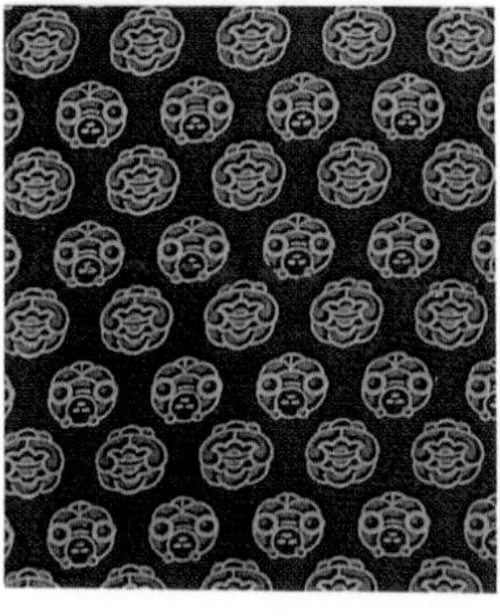

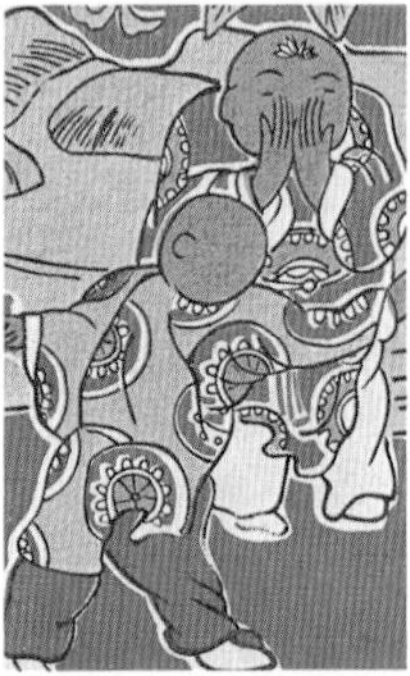

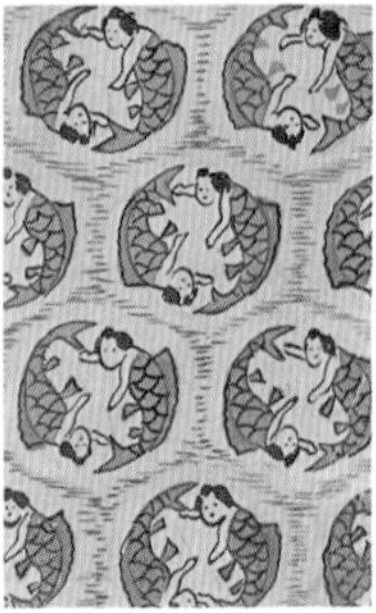

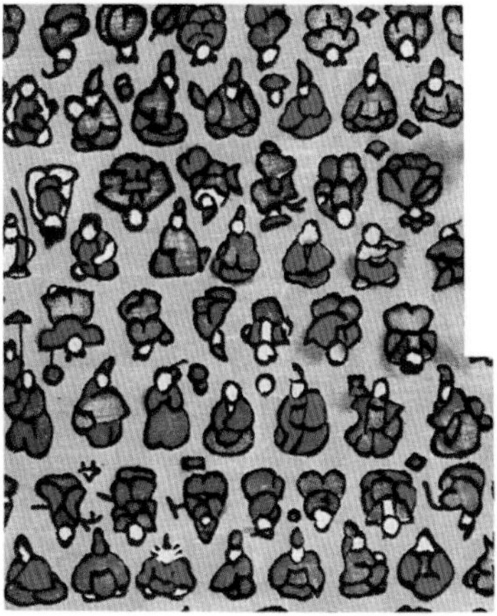

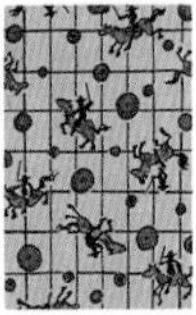

渡り手

写し紋

“渡り手”の原形を参照して、その夥しい文様を型摺り染めの手法で、和製復元（和更紗）された写し紋であり、一般的な模様は、すでに日本の友禅などと合彩されてはいるが、どうしても異国物として間を置いてみられる、抜き難い典型的な渡り手文様もあるわけで、しかしそれゆえにこそ最近では、渡り手更紗の文様や、中近東風なアラベスクやタイル更紗が見直されつつある。

主たるモチーフ

日本のもの……イチゴ・ジャガタラ

外国のもの……格天井・蜀紅文・アラベスク・ぶどう（唐草）・唐草・モザイク文・タイル唐草・ベンガル島・ベーズリー花文・バティックパラン文・木瓜

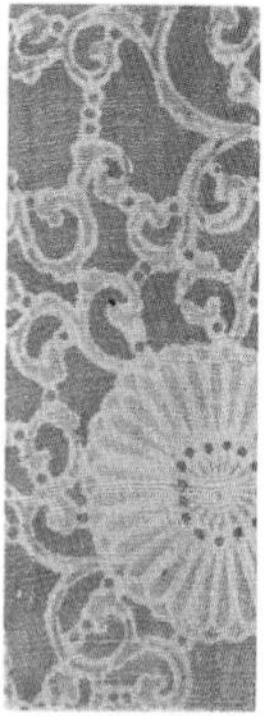

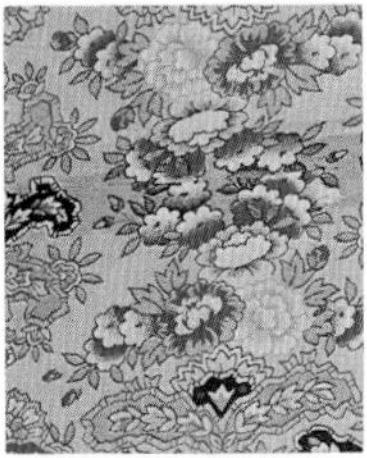
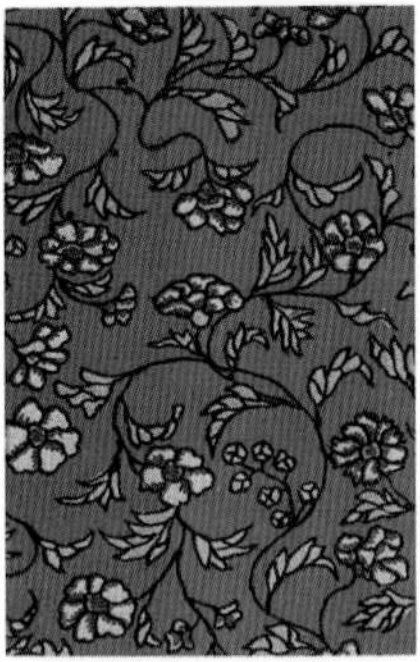
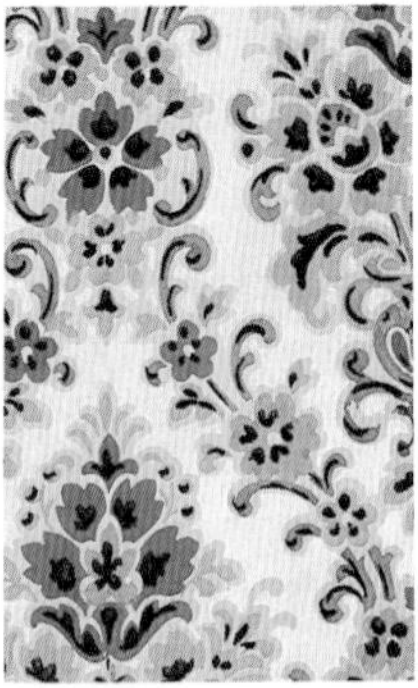

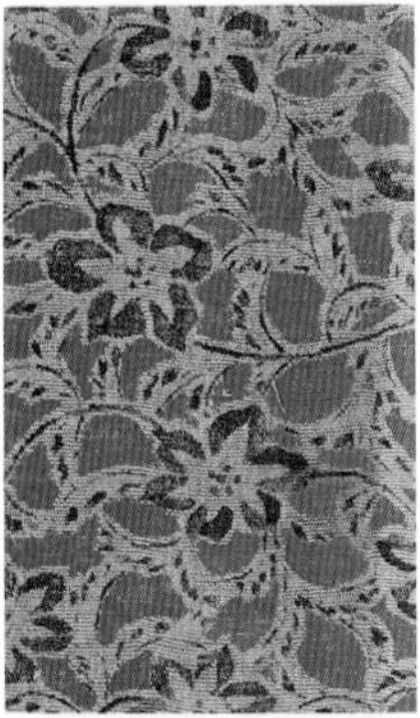
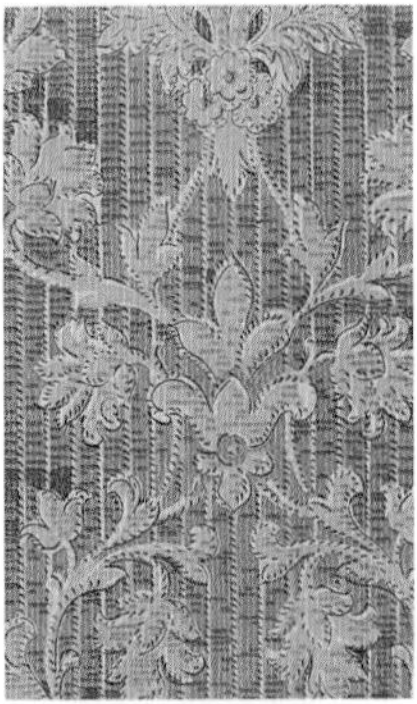
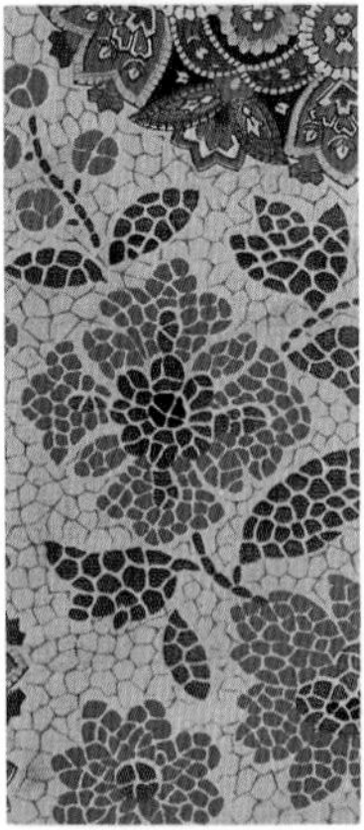
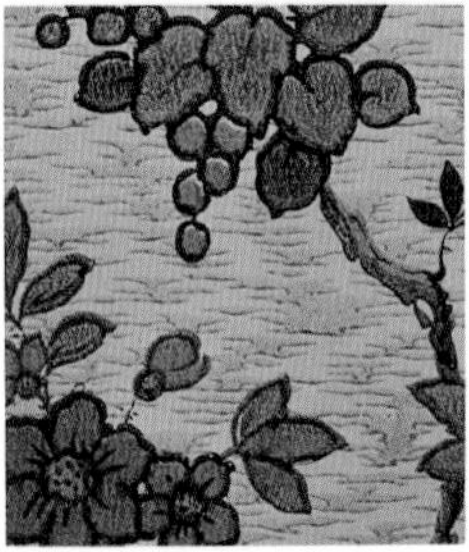
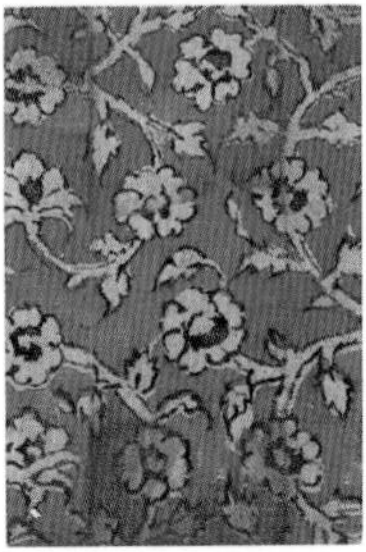

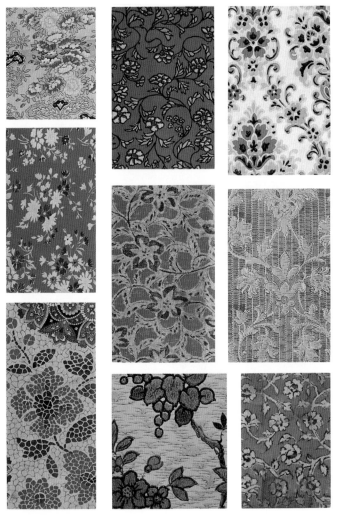

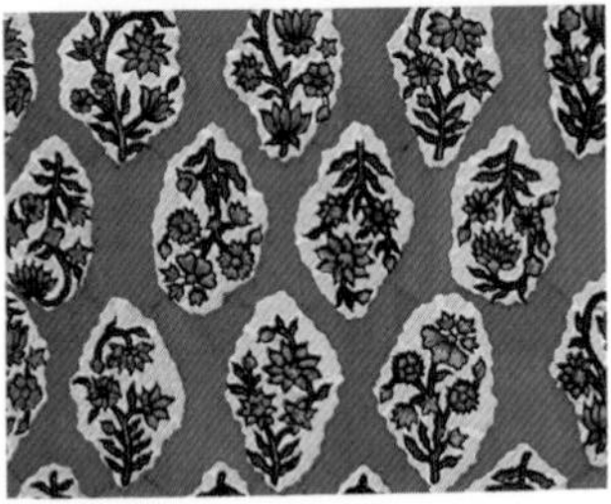

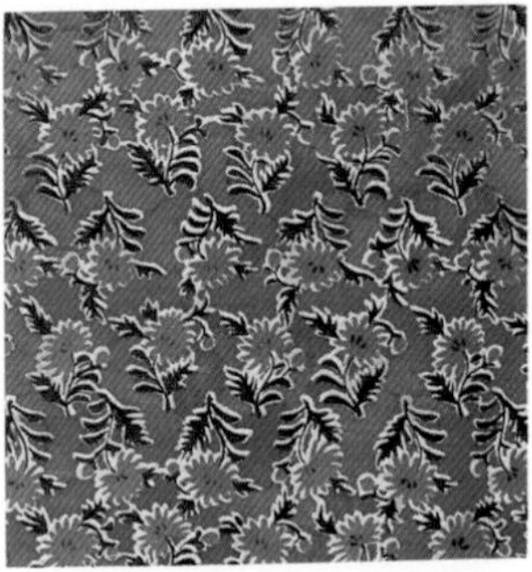

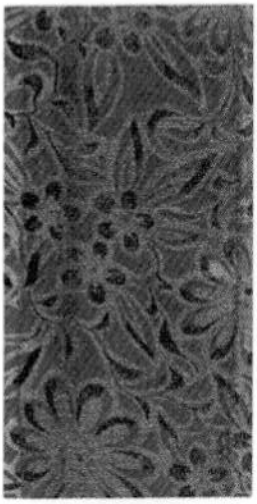

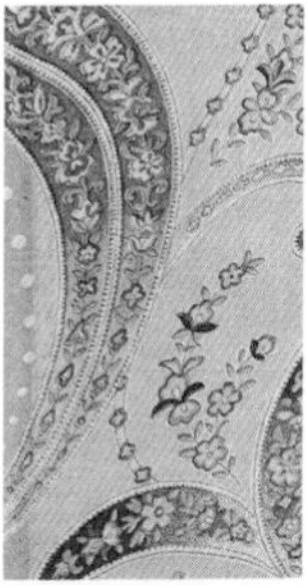
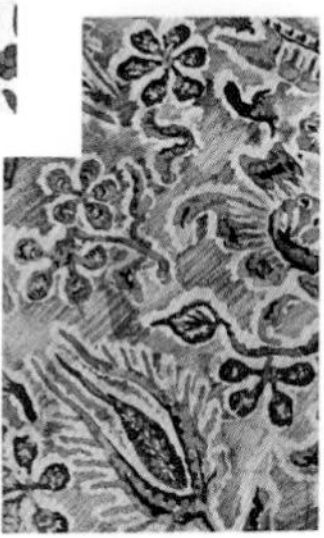

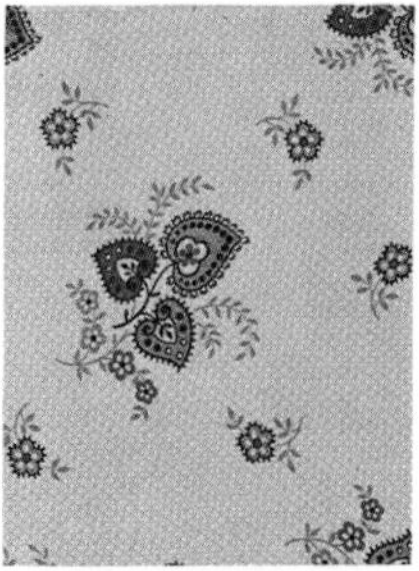

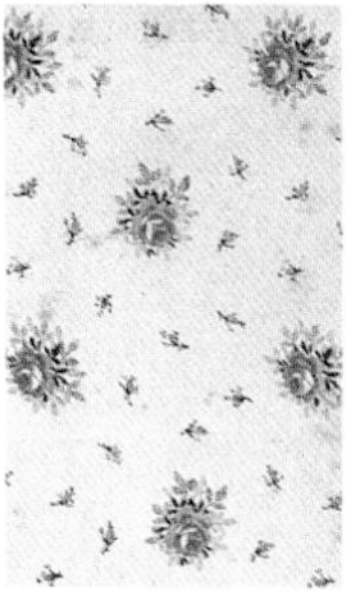
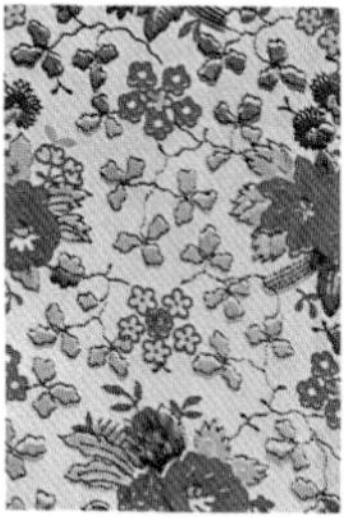

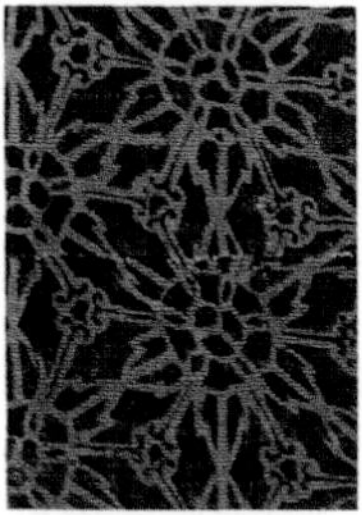

花鳥手

草花文と鳥類手の合体、融合の構成文様である。極端なまでに図案化された鳥文様、そしてこれを引き立てるように添え流れる花文の絡みは、特有の異国味と、渡り裂の幻想的な雰囲気を漂わせる。その文様の浪漫的なおもしろさは、以後の「和更紗」に一つの基本的なパターンとして受け継がれている。

主たるモチーフ

日本のもの……燕・鳩・雀・鳳凰・カササギ・椋鳥・雉子
外国のもの……孔雀・インコ・比翼・火の鳥

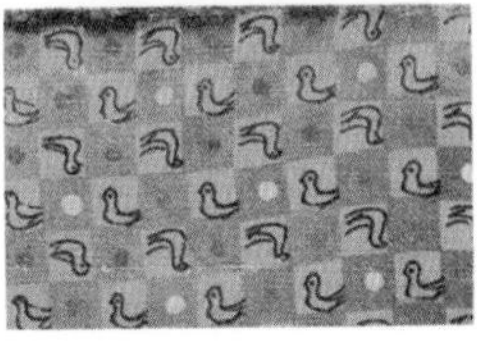

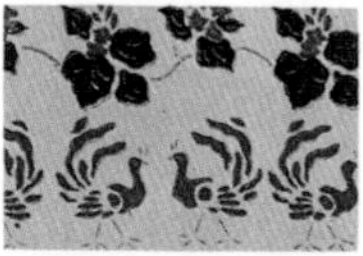

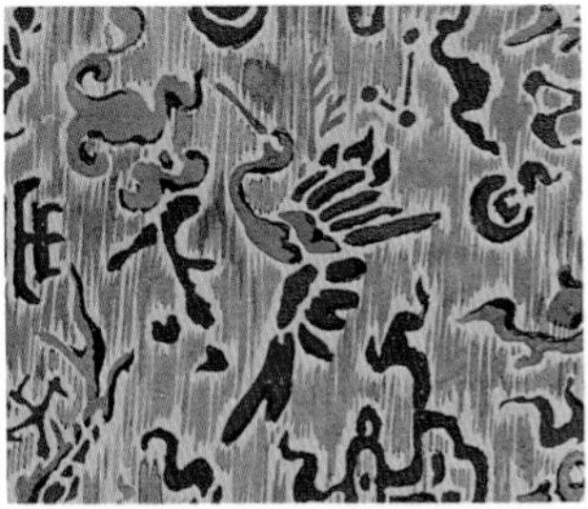

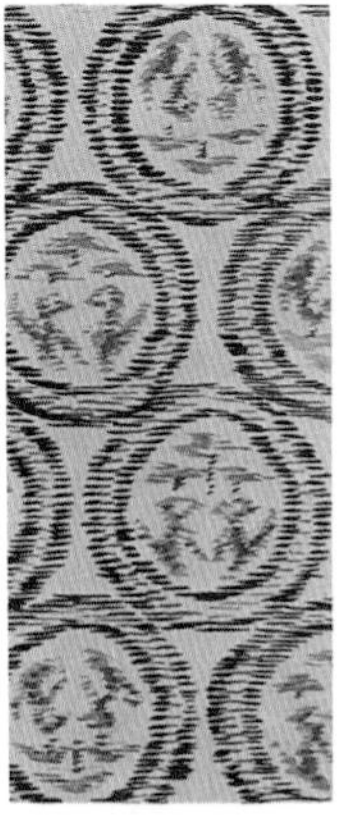

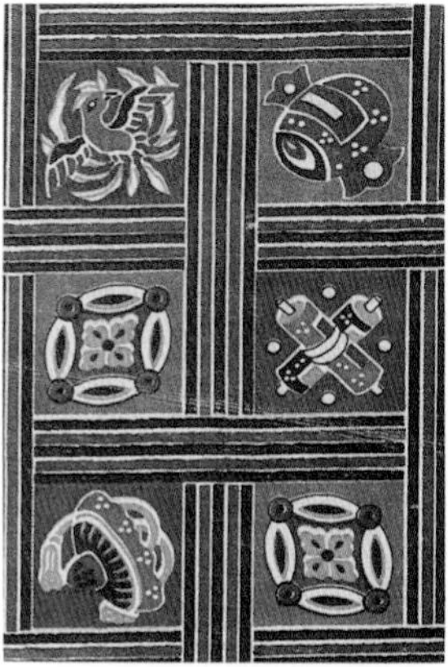

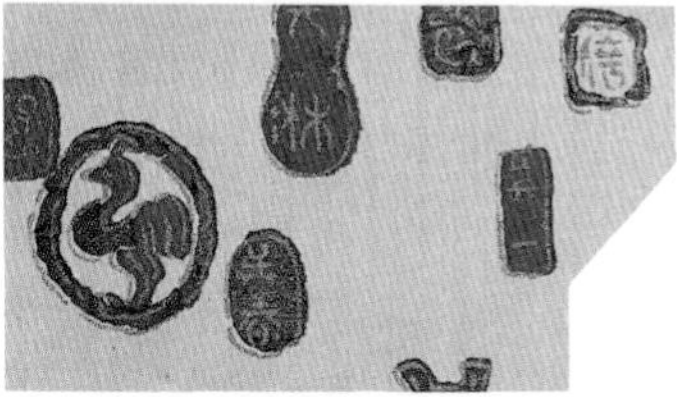

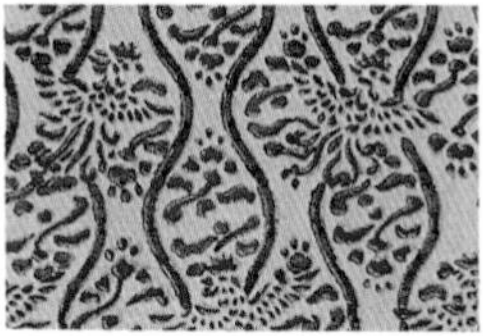

さがら手

突きぼかし紋

渡り手の、草花、小紋の部類によく見られる手法のもので、もちろん「和更紗」にも限りなく表われるが、さがら手自体は紋様ではなく、一種のぼかし手法であって、主題の文様と合体して本来の主題をより以上に鮮やかに浮き立たせる重要な裏方的文様幕なのである。それは微細な突き丸の連続点によるボカシ紋のことで、日本の繍芸にいう、縫地の表に作られる小さな糸の結び玉の連続した刺し文「相良《さがら》」、また金彫工法にいう、文様打ちの後の余白を埋める「魚子《ななこ》」といわれるものにあたる。

主たるモチーフ

日本のもの……芥子・点丸・あられ・雪丸・なまこ・突き丸・みじん・突き点ぼかし

外国のもの……ウラジオ更紗・オランダ・フランス・ロシア

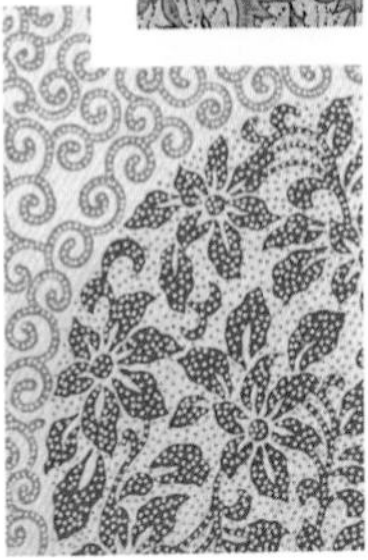

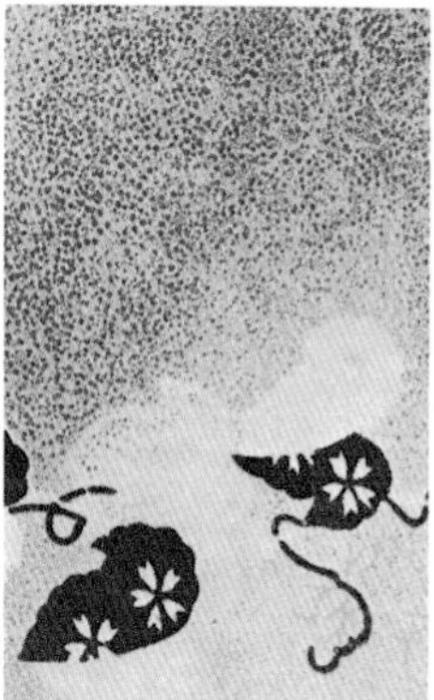

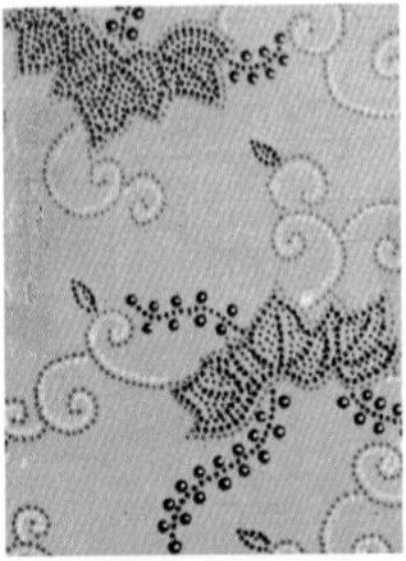
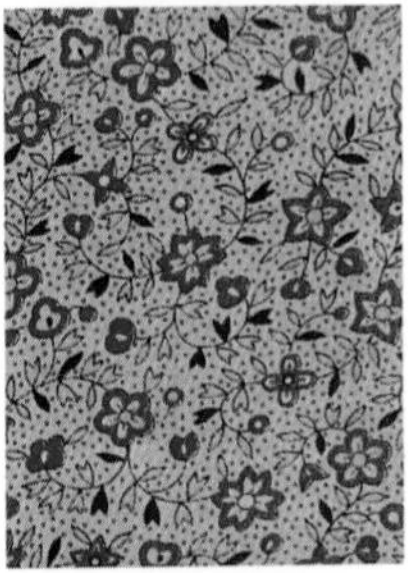
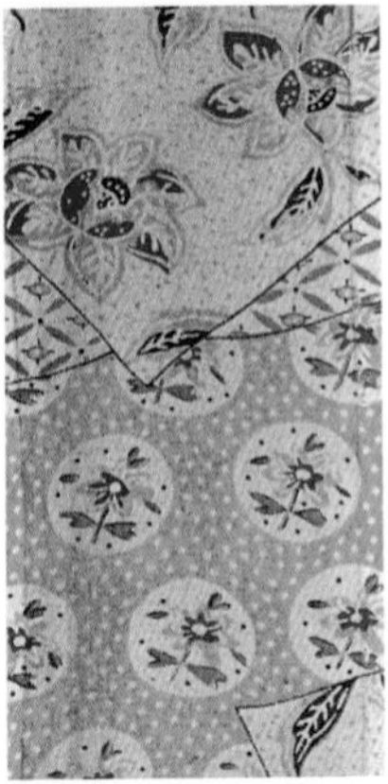

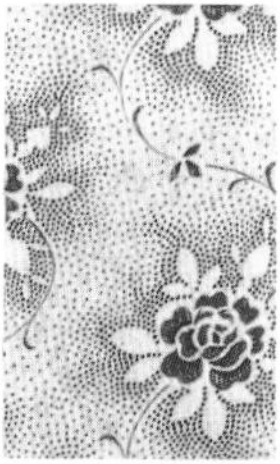

筋•縞•格子•
幾何紋手

たての筋·よこの線(島·縞)、たて—よこの線の交錯(格子)、斜行の筋、追う線のからみ(綾縞·立枠〈湧〉·石垣·市松·あじろ)等々、今日ではわが国の伝統のなかへ数えられるこの“縞”も、かつては“嶋”の字で表わされた“渡りの文様”である。ここではいずれも更紗縞で、その更紗的色調と、奔放な線のバラエティの構図と、幾何紋的アラベスクの参照図である。

主たるモチーフ

日本のもの……島·縞·子持縞·両子持·格子·弁慶·綾·杉綾·金通·立湧·山道·雷光·石垣·市松·網目·篭目

外国のもの……段更紗·弁柄縞·唐様·トライアングル·パランつなぎS字文·十字文·タータンチェック

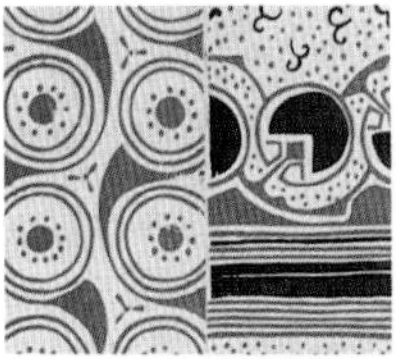

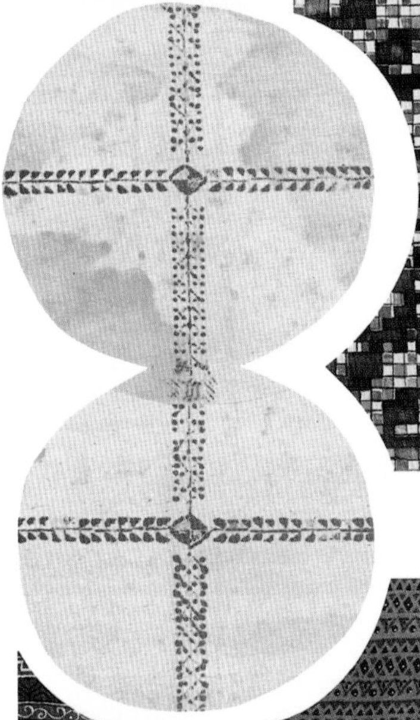

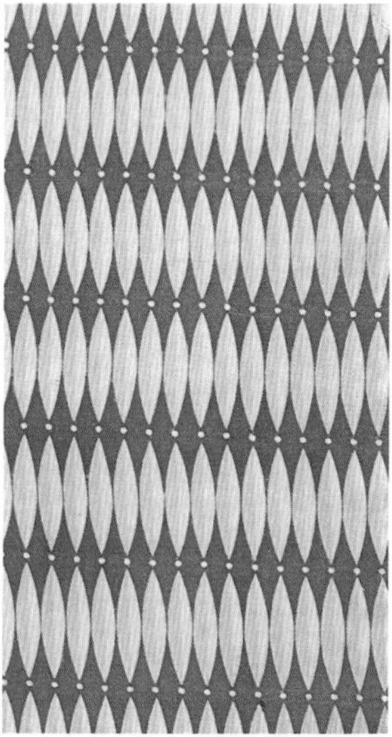
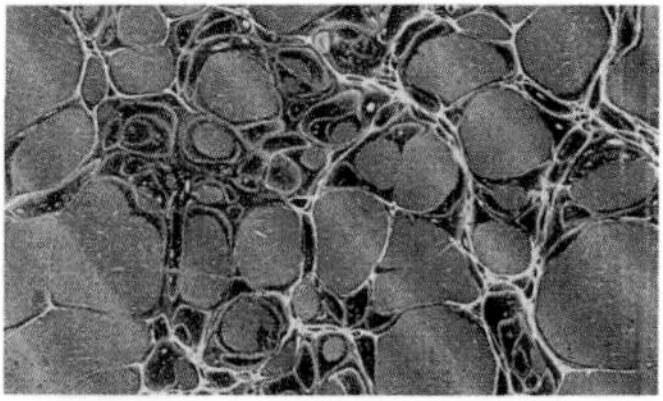
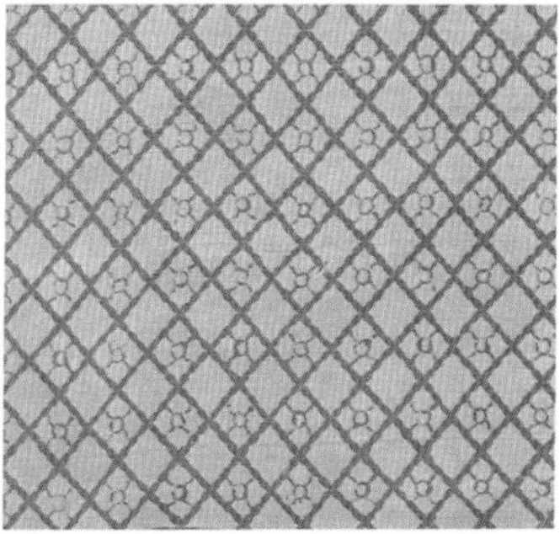

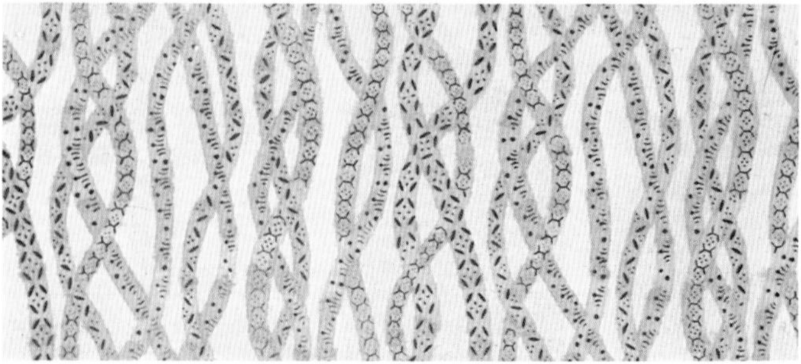

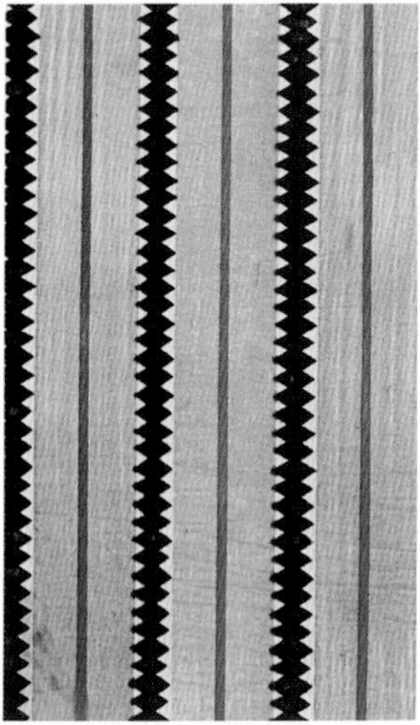

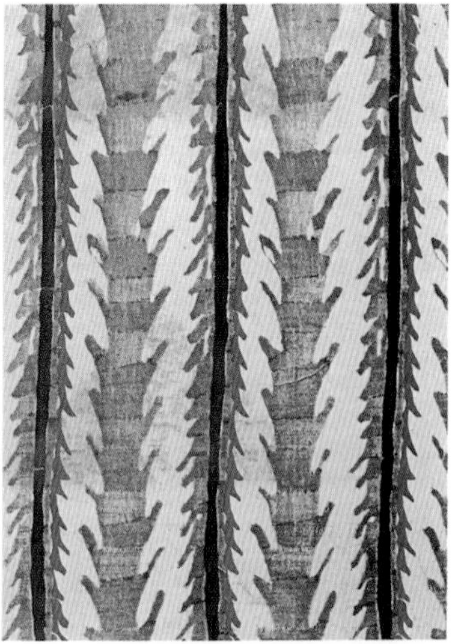

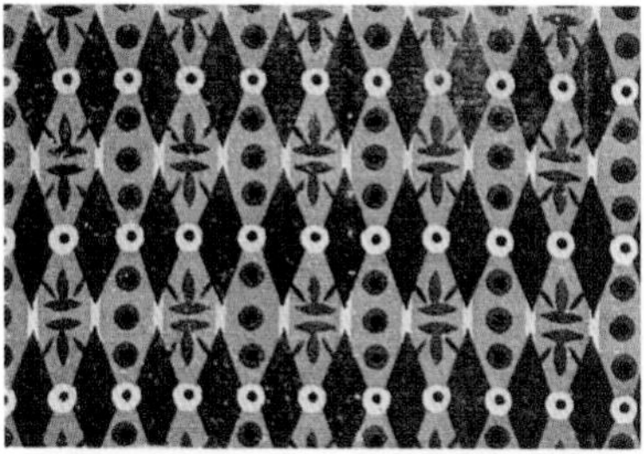

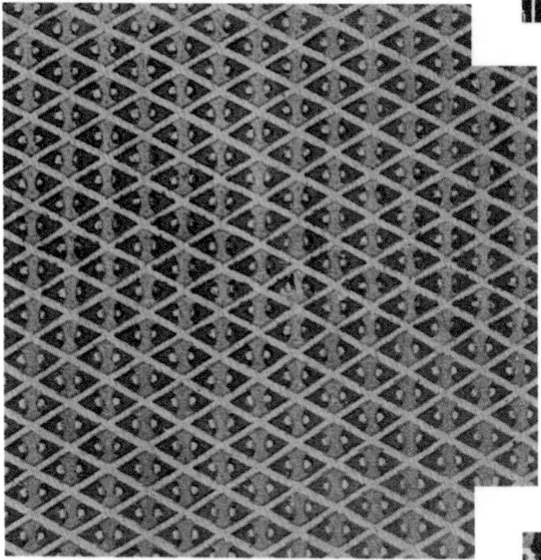

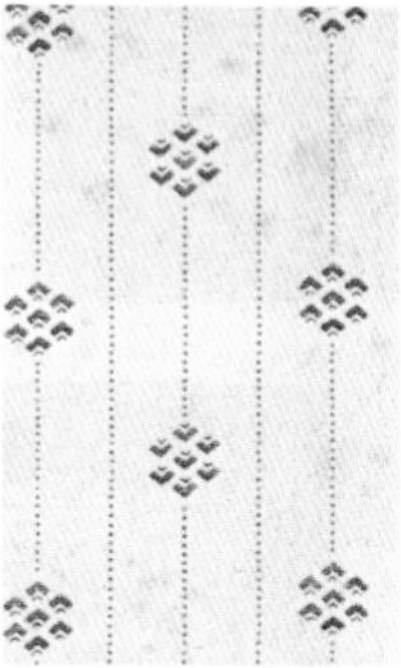

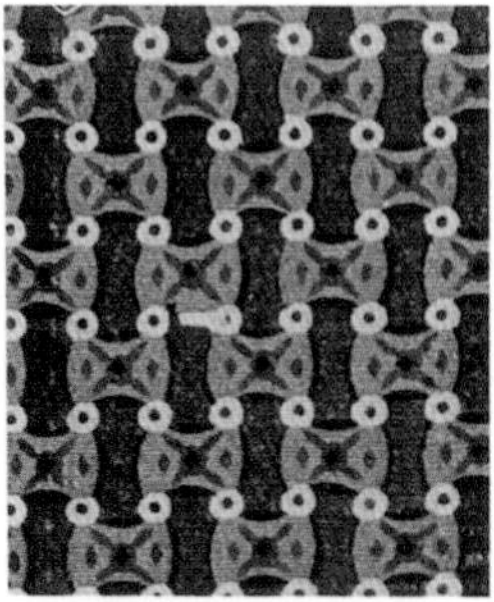

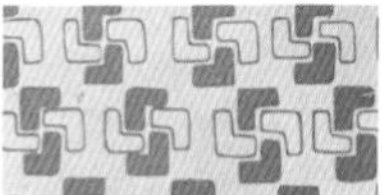
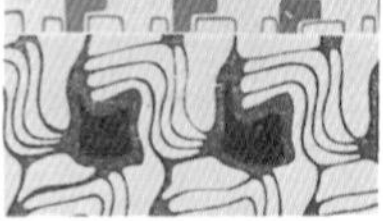

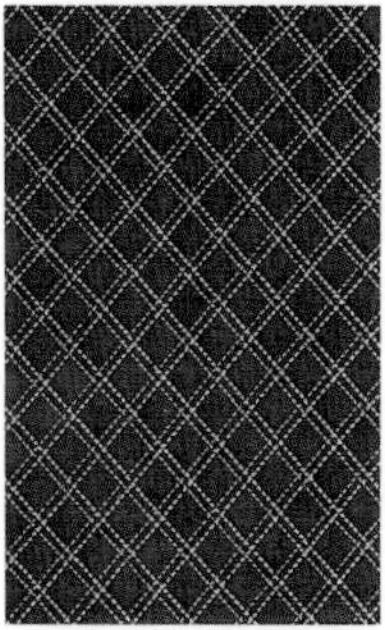
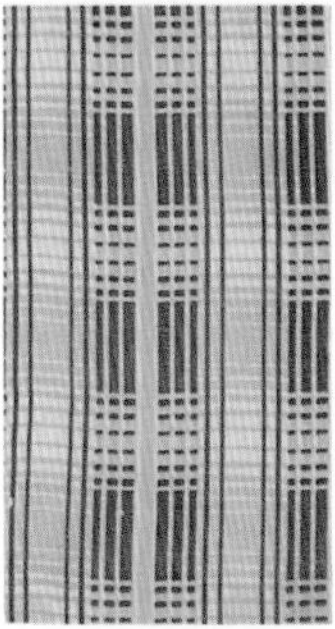
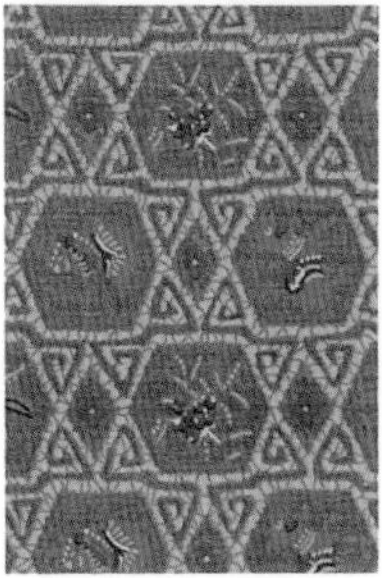

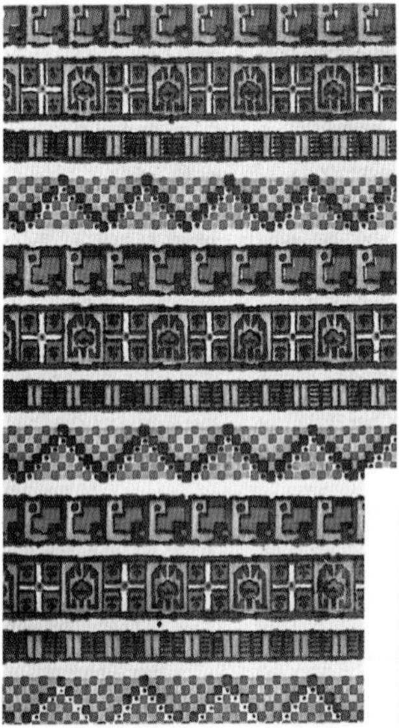

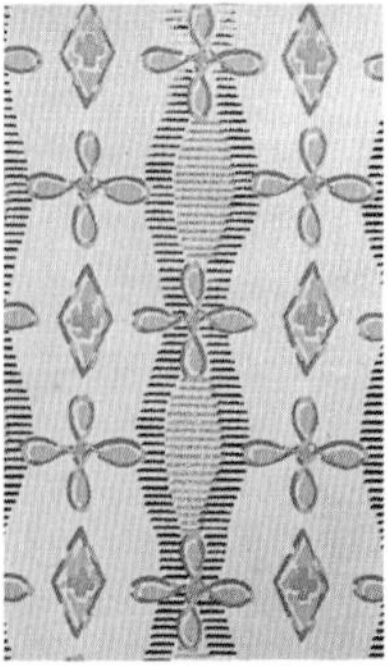

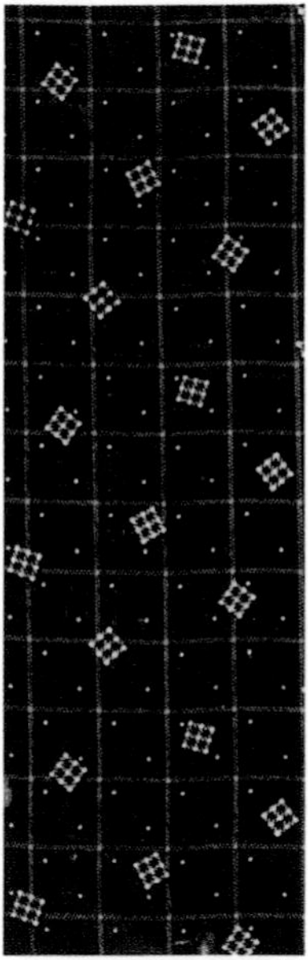

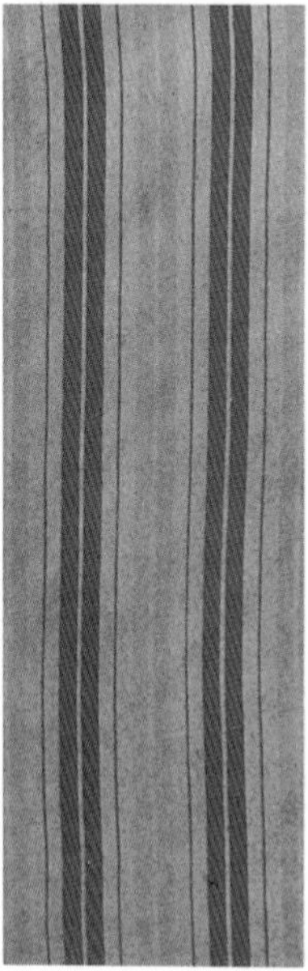

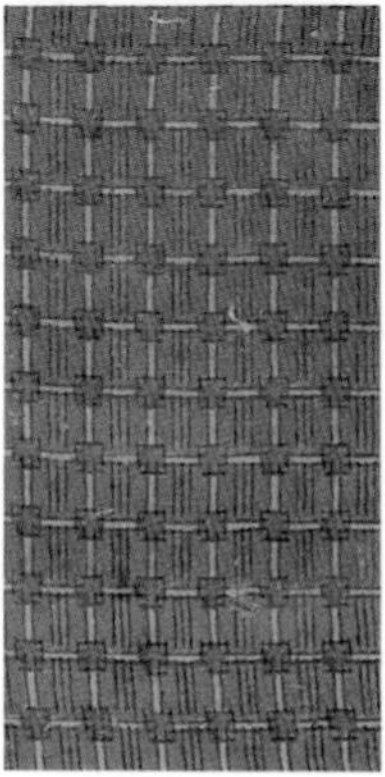
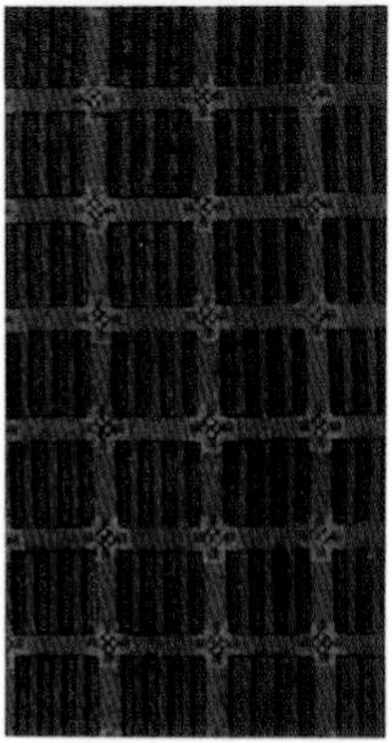

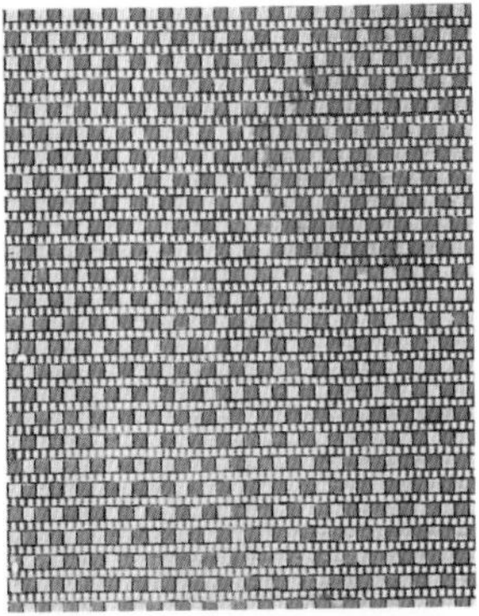

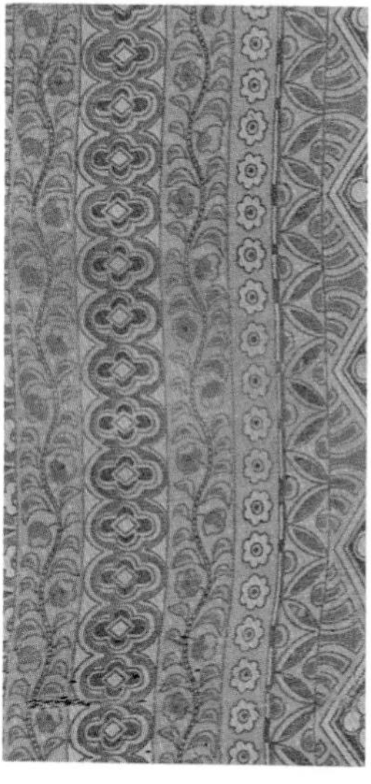

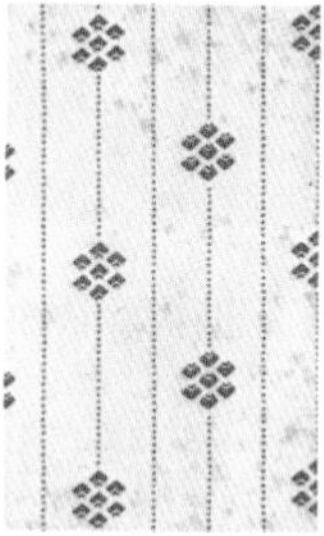

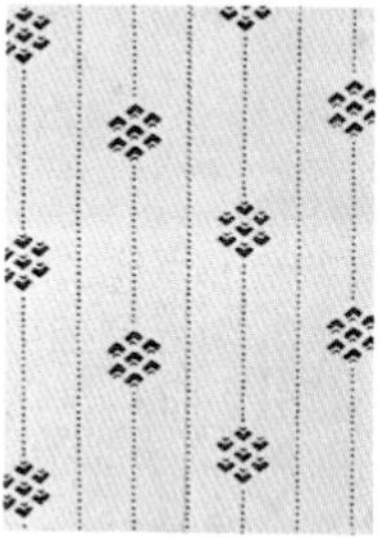

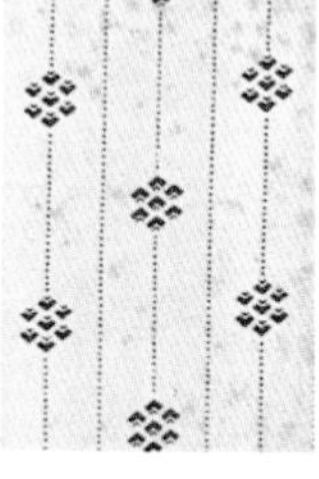

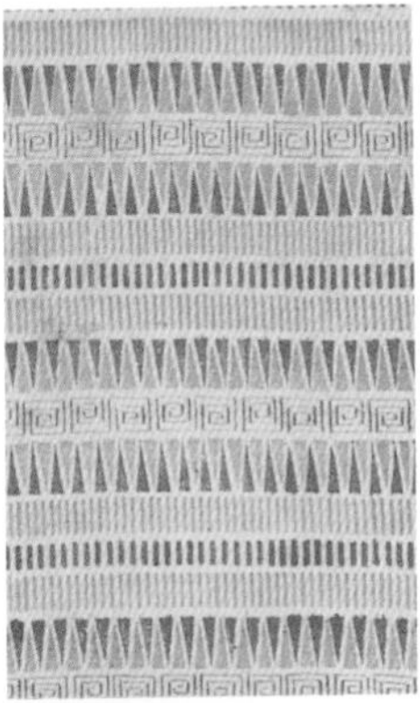

RIIKMPHRHC

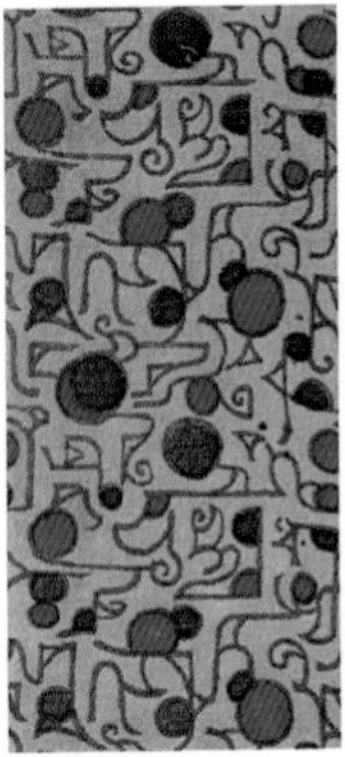

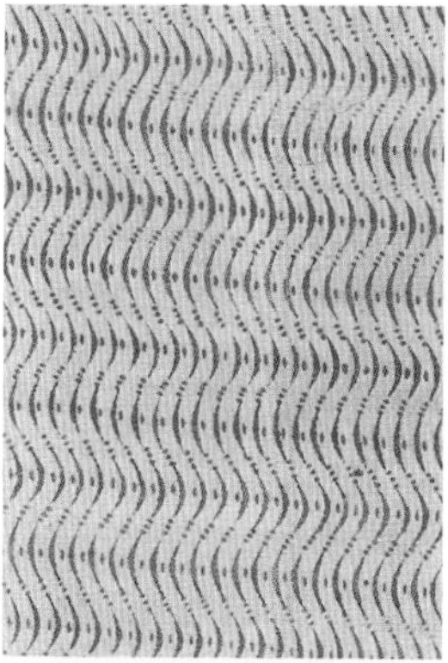
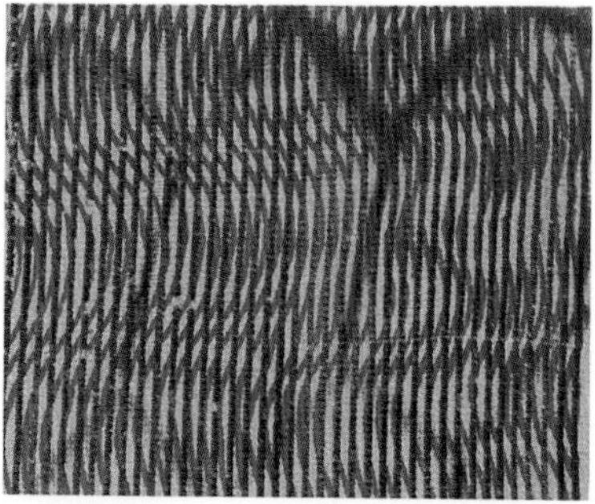

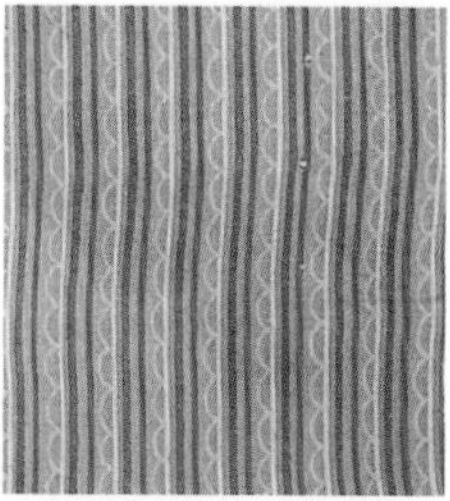
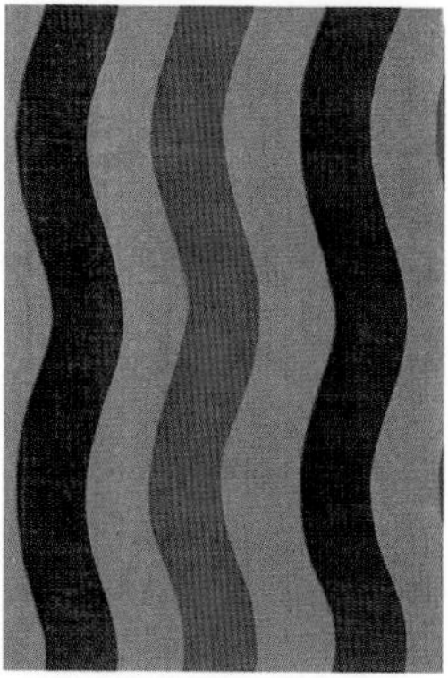

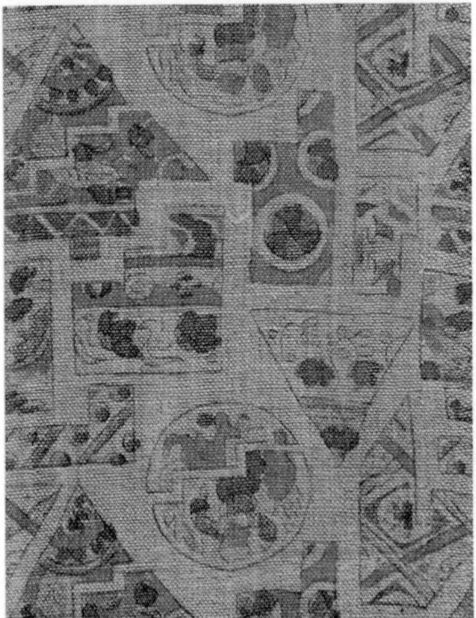

獣•虫•魚手

古くは、武具、鎧の染革《そめかわ》や、武将の陣羽織などの飾り文様にも見られる獣類文。蝶・虫・魚文は、大柄な紋様付けで、衣料や帯の類・幕・飾り布・特殊衣裳紋などで見かける。ペルシャ、トルコの敷物文、近年では女性の和装具・着物・洋服地等にも特徴的なデザイン、風変わりなアレンジで、いろいろな獣・虫・魚手は路上の往き来にも見かけられる。

主たるモチーフ

日本のもの……兎・蝶・十二支獣・魚類

外国のもの……唐獅子・虎・龍・雲龍・伝説的異形獣・トナカイ・双面獣・龍の落し子・カシミール肩掛・中近東カーペット

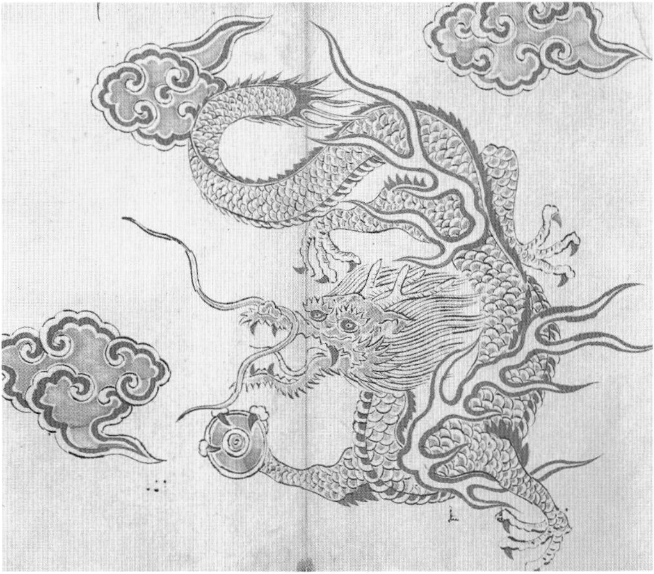

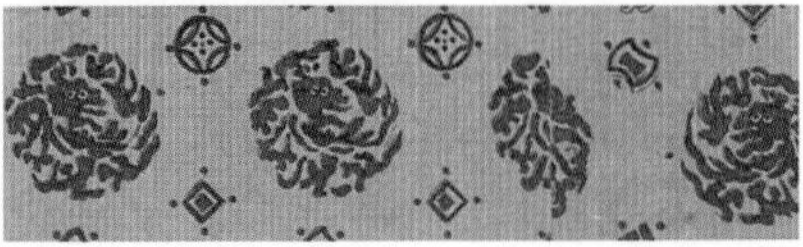

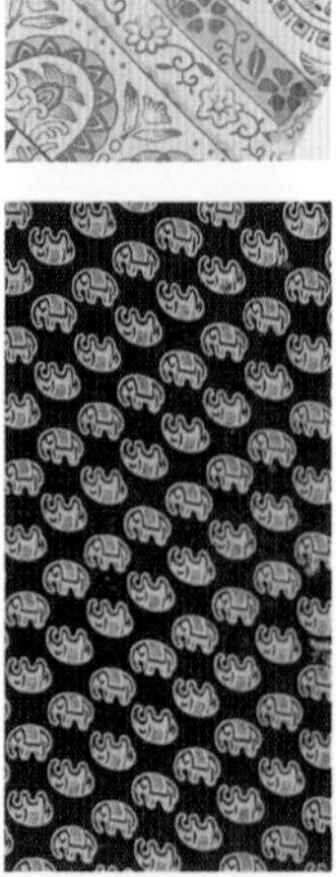

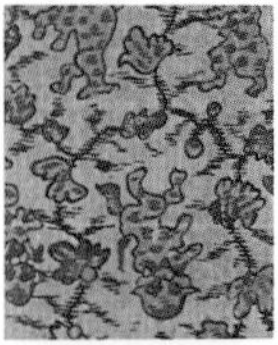

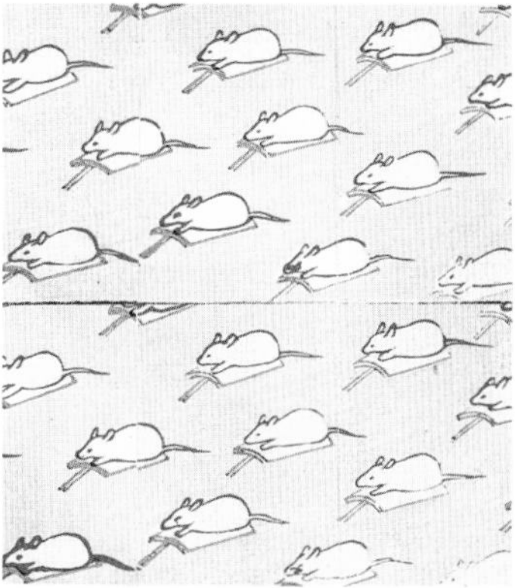

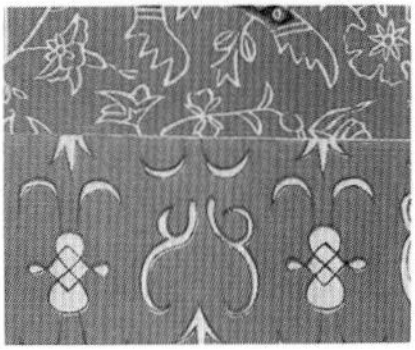
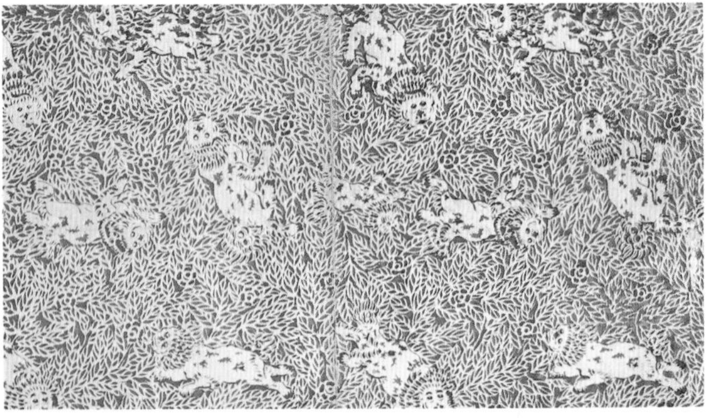

渡り手
草花更紗写し紋

さら市控帳と江戸末期さらさ紋様紙

嘉永３年のもの

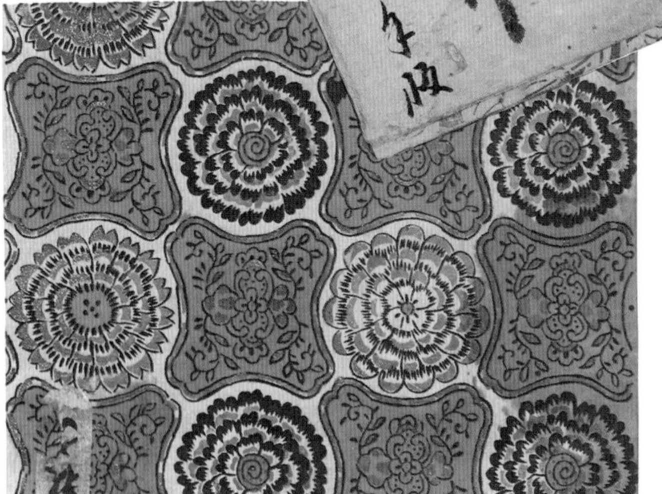

明治・正繪さらさ紋控帳

明治39年～明治44年(大正元年)のもの

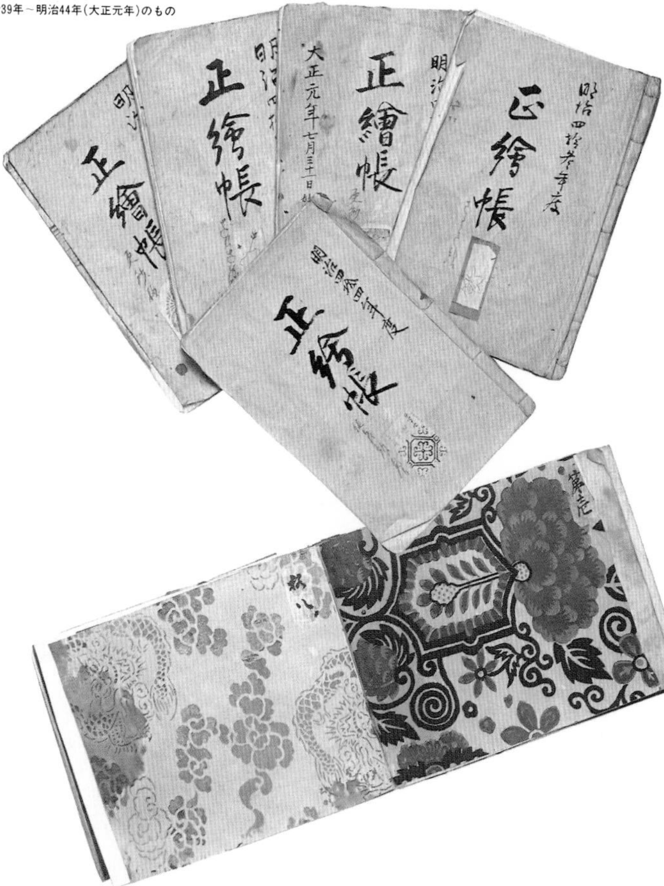

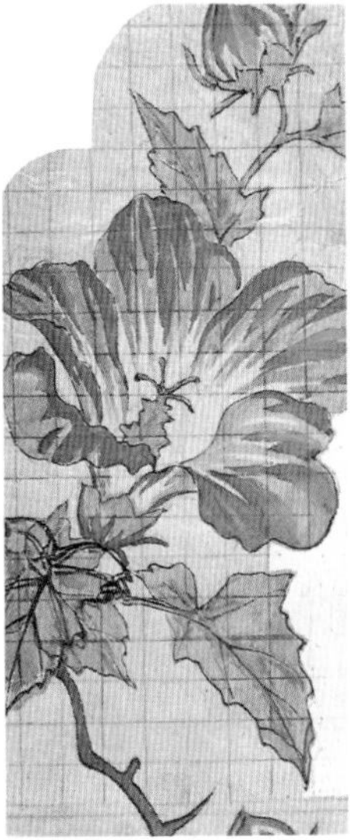

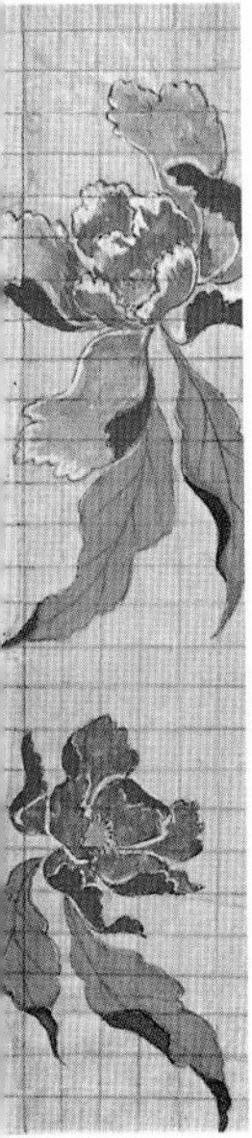

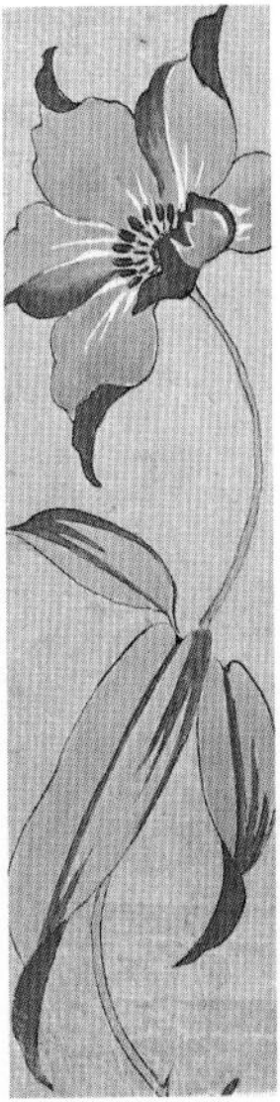

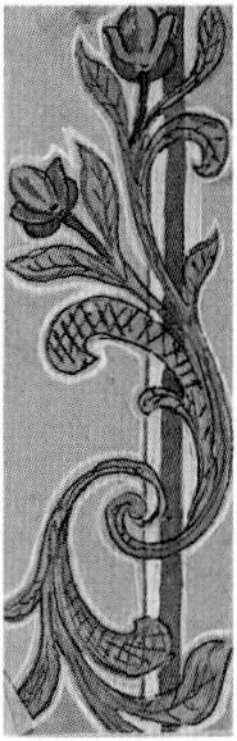

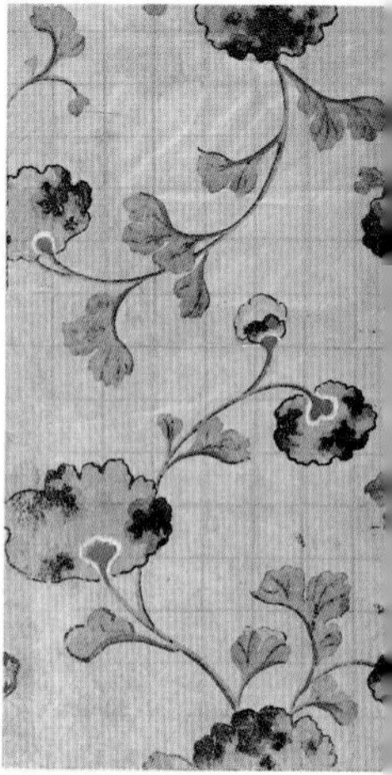

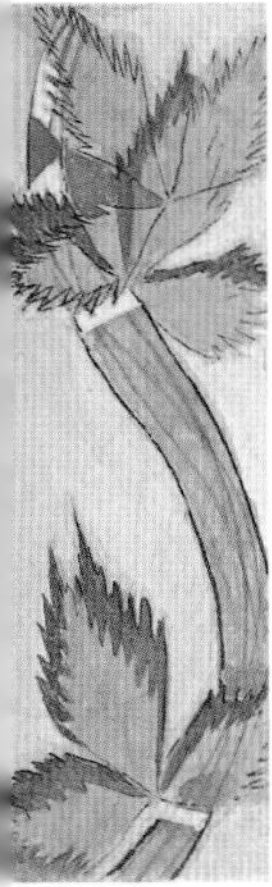

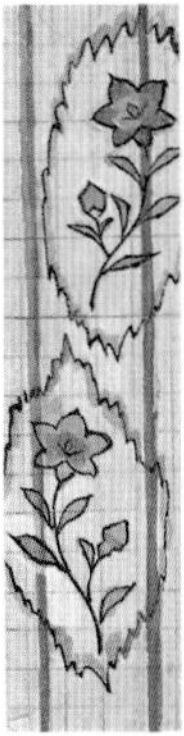

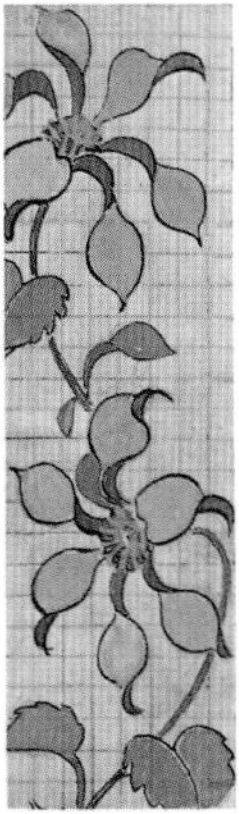

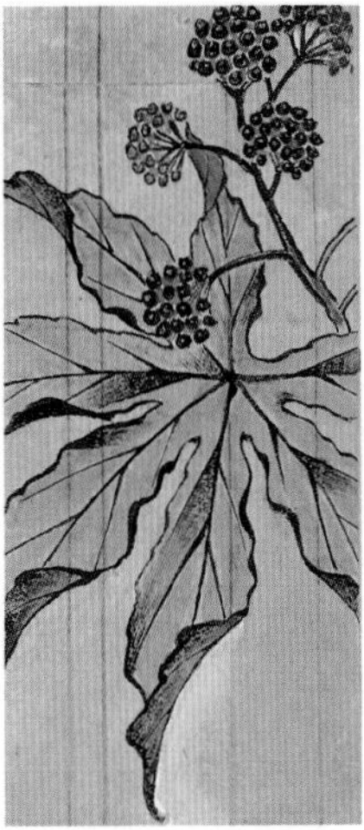

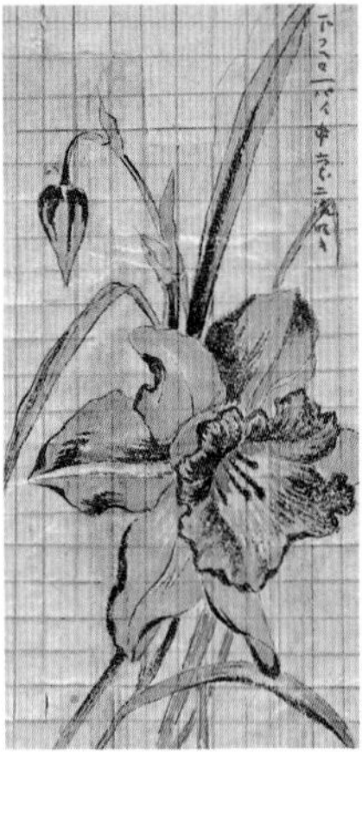

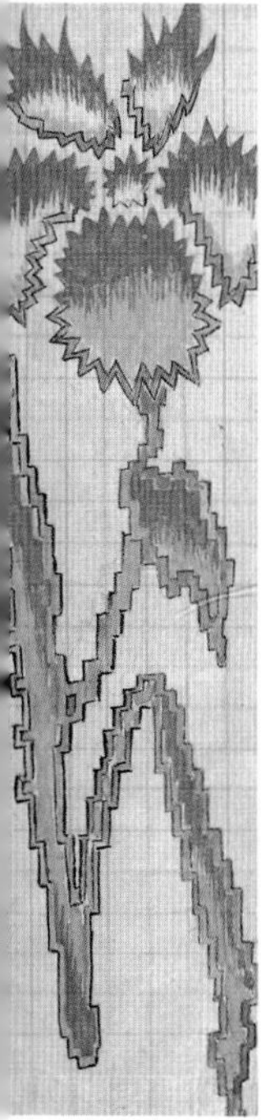
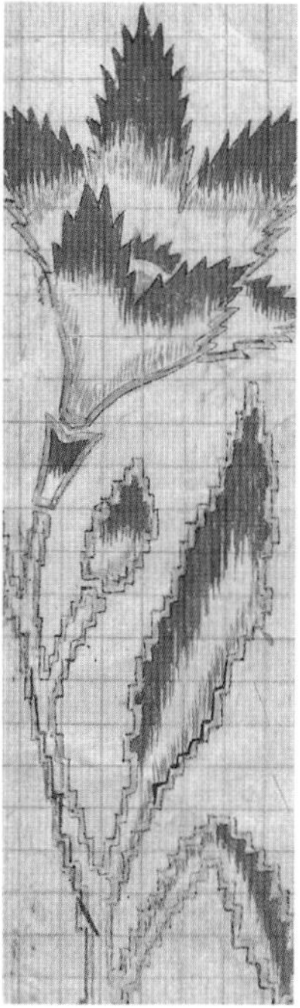
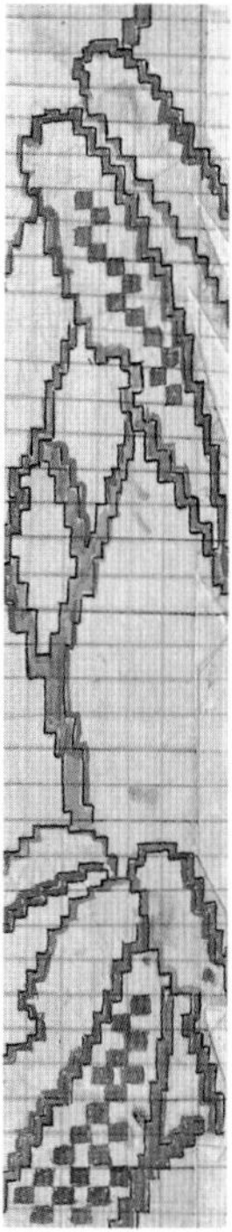
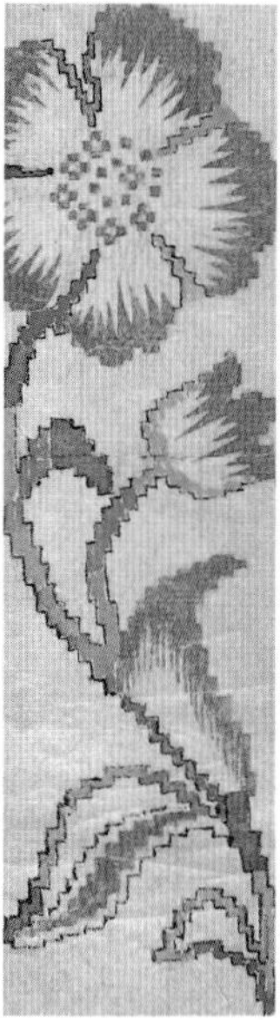

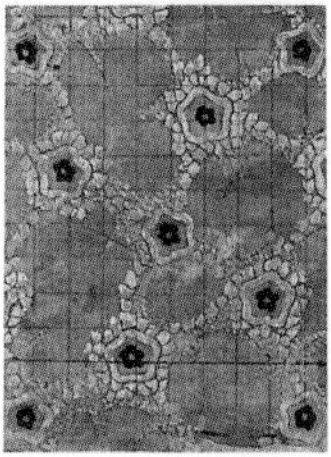

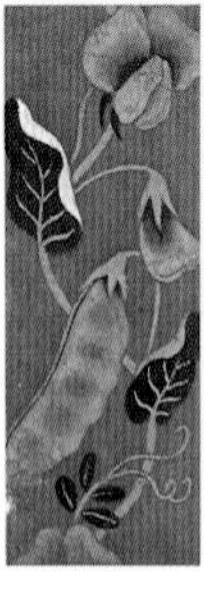

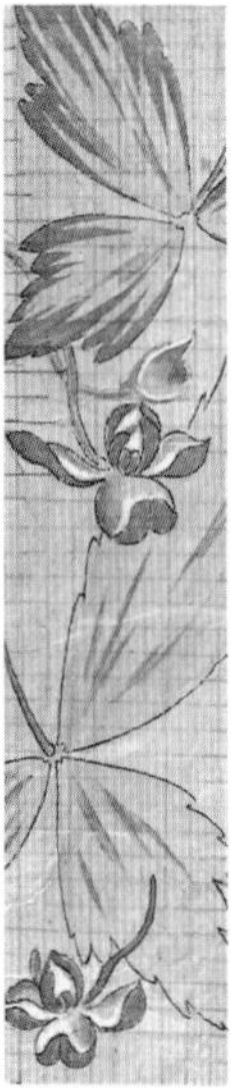

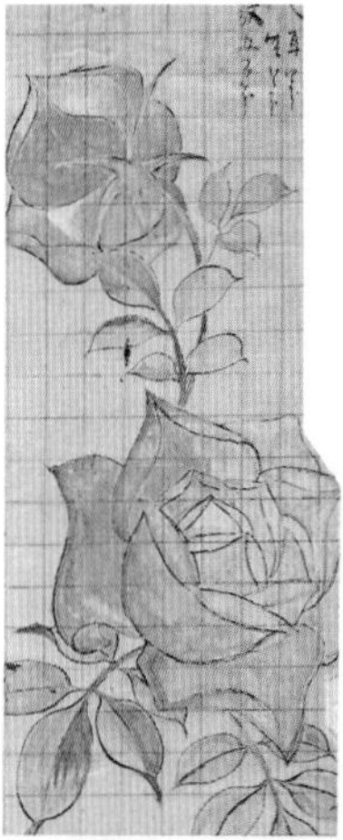
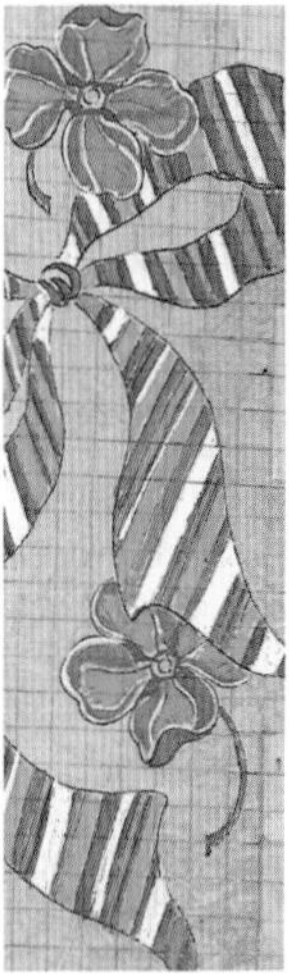

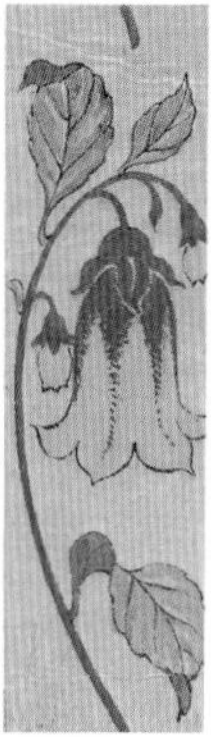
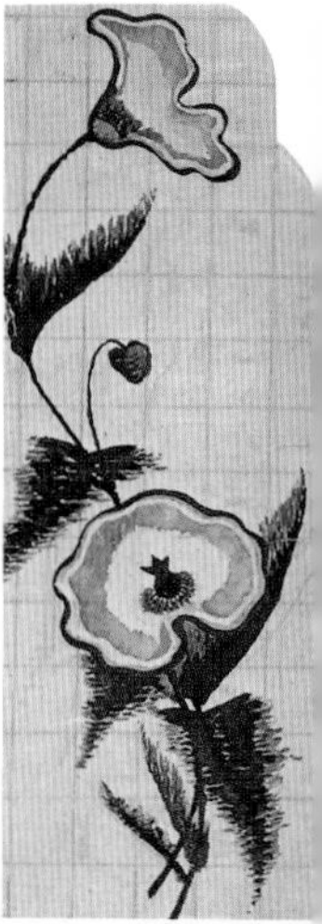

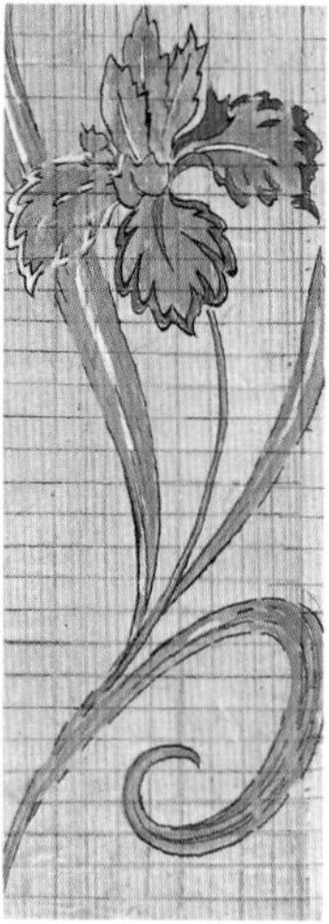

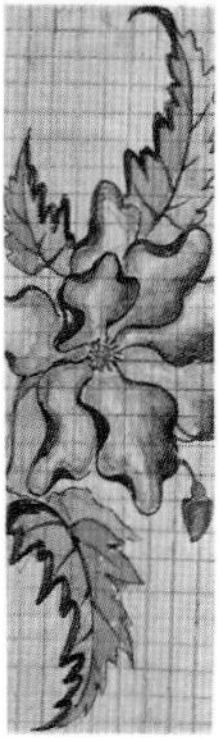

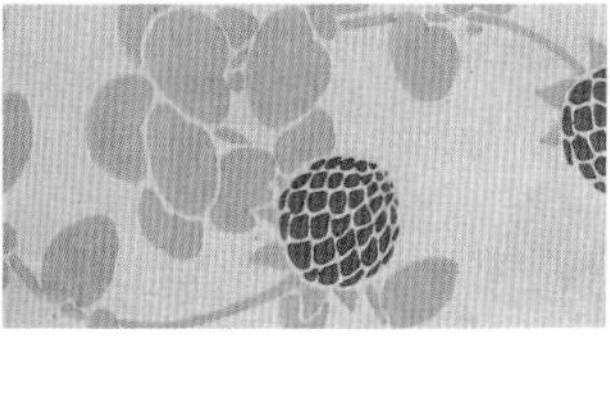

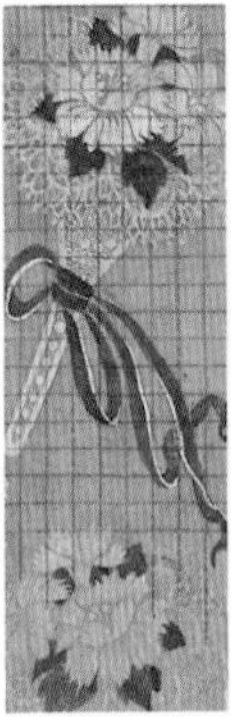
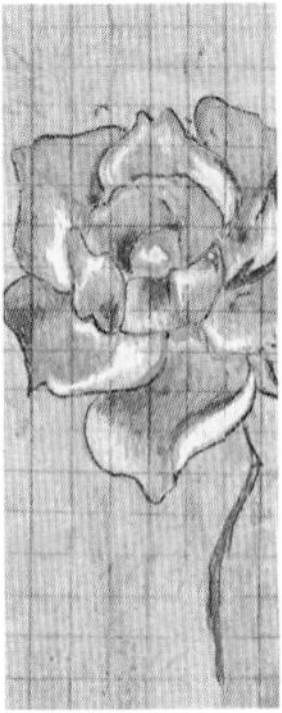
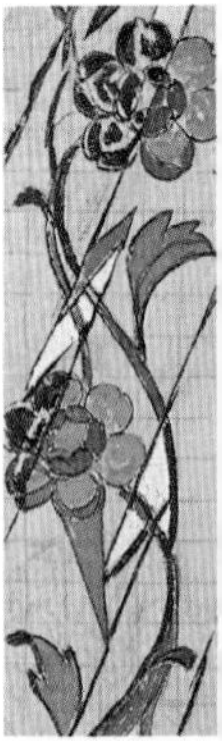

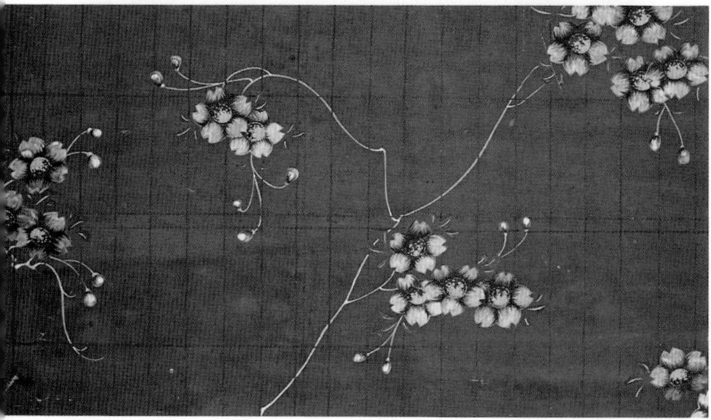

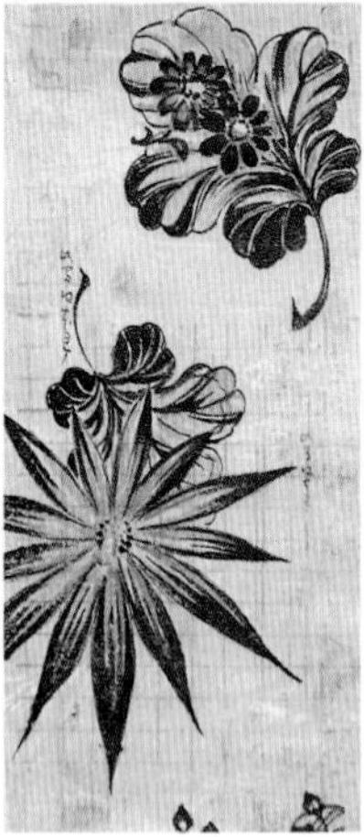

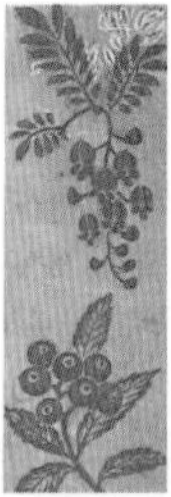

草花手
和更紗紋

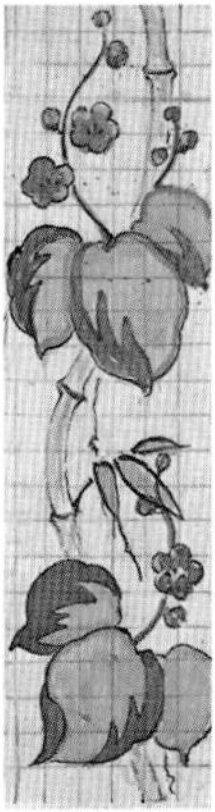

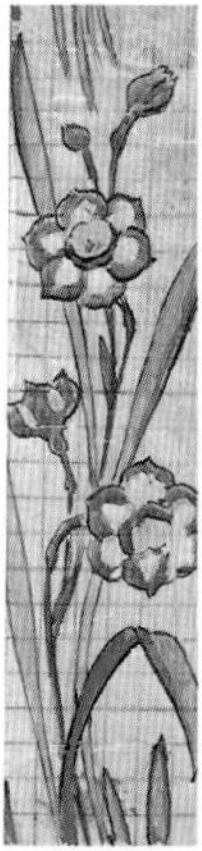

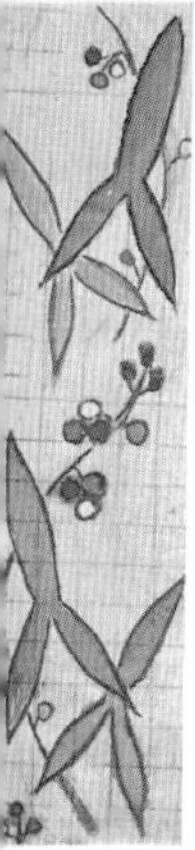

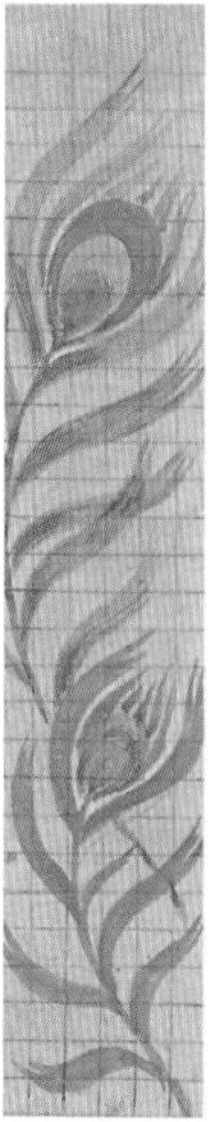

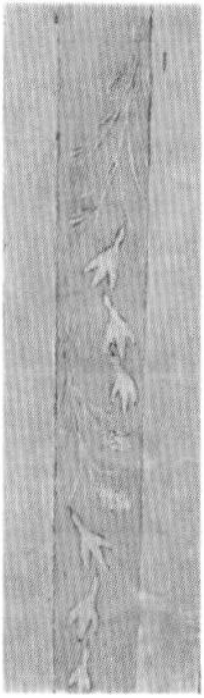

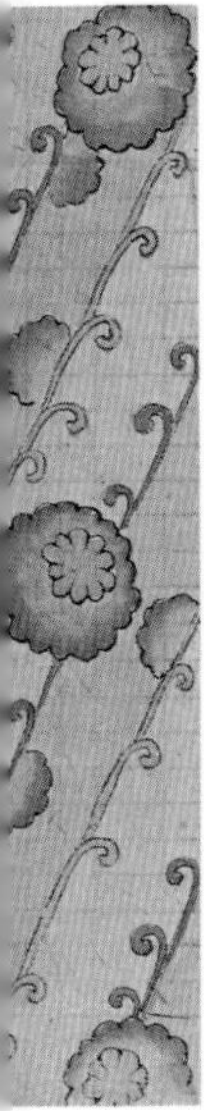

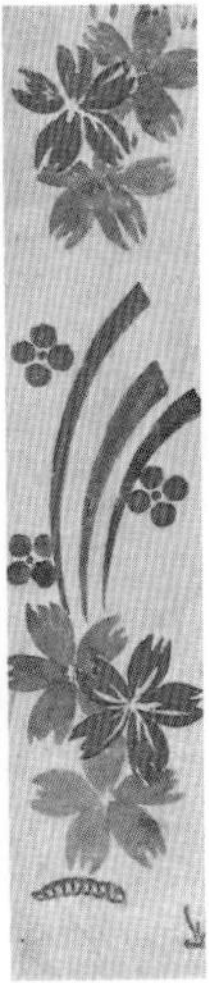

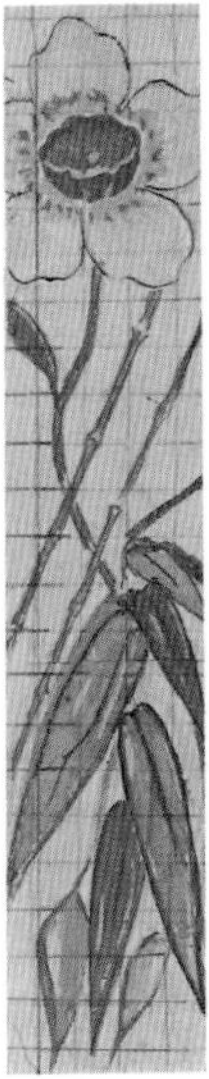

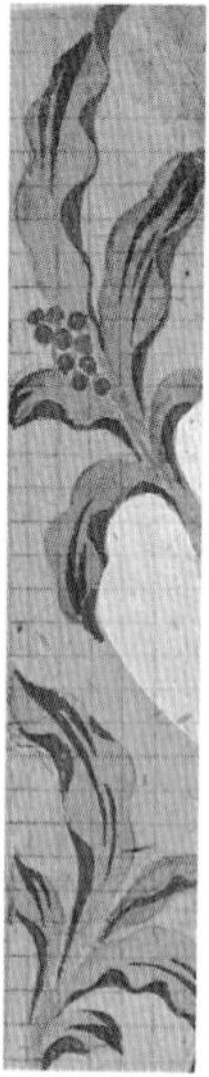
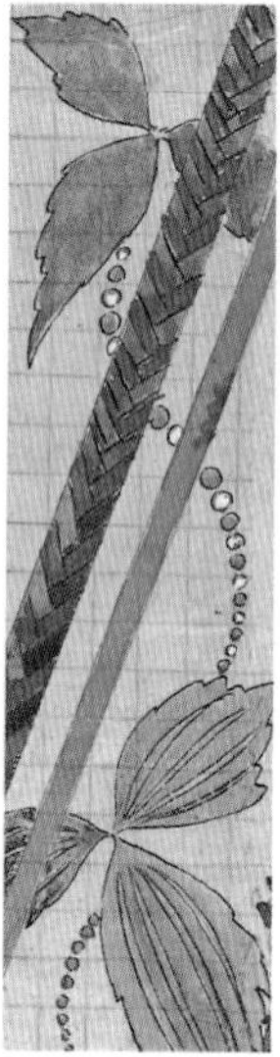

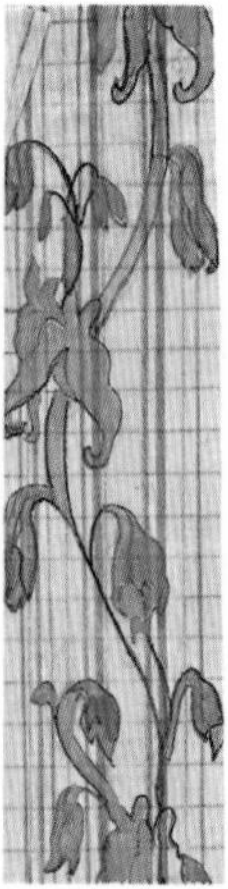

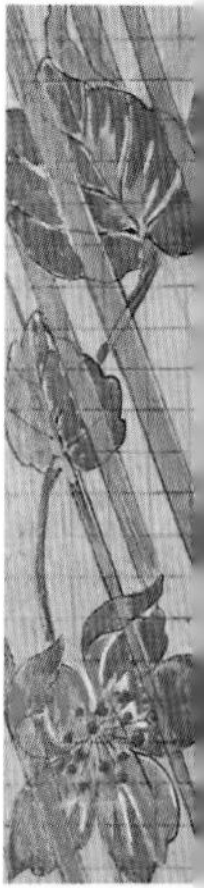

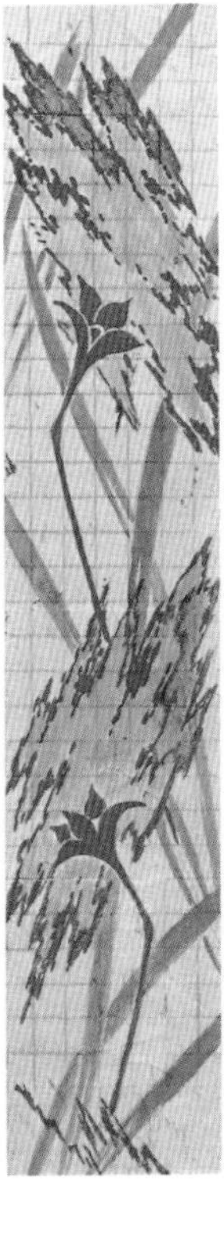

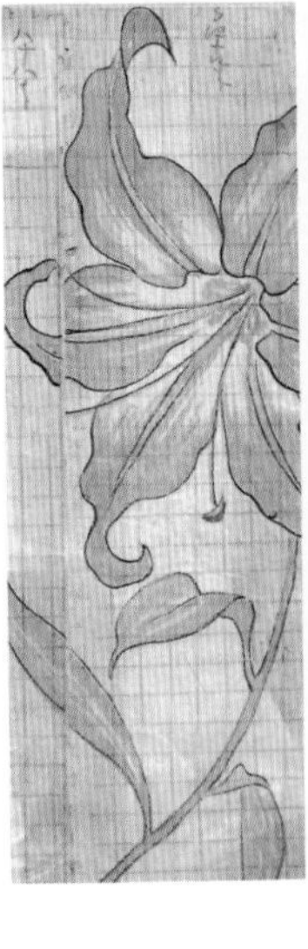

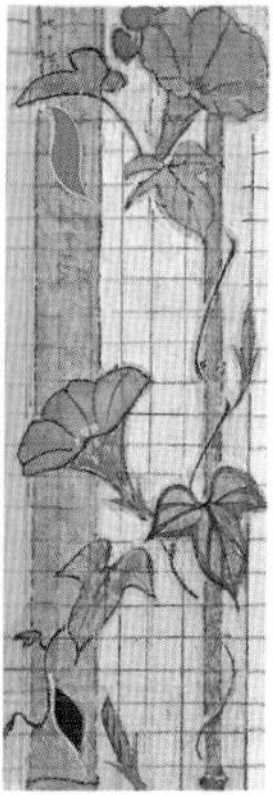

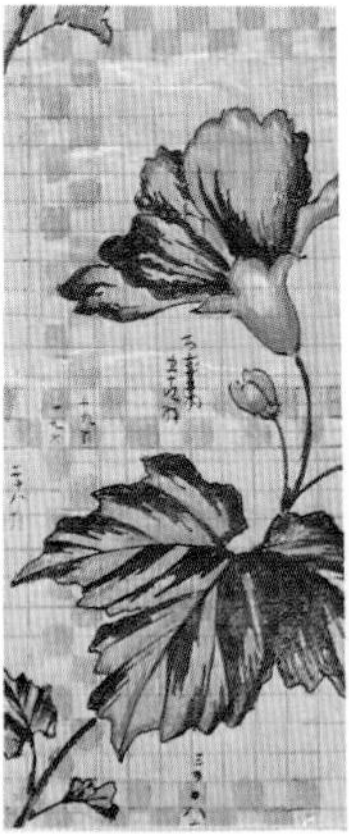

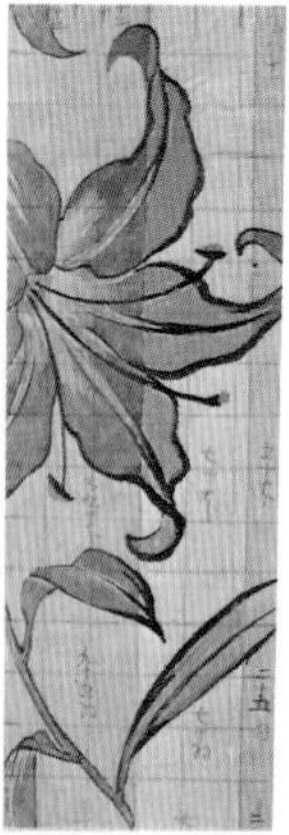

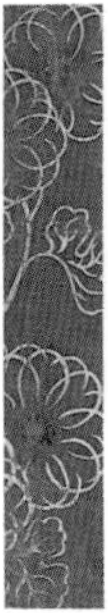

友禅更紗紋

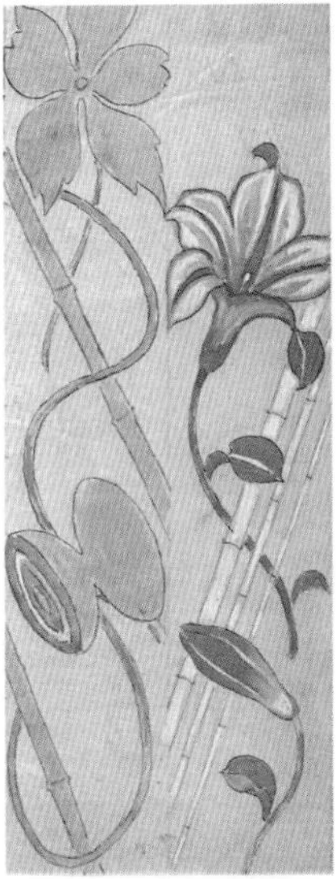

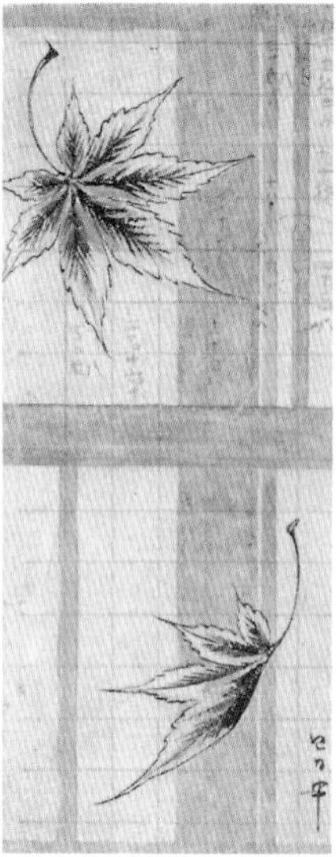

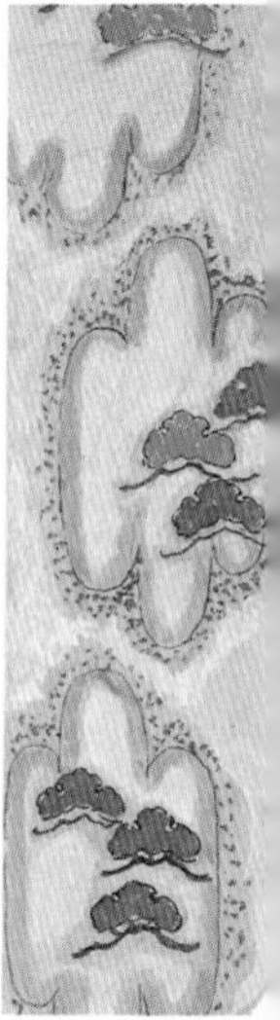

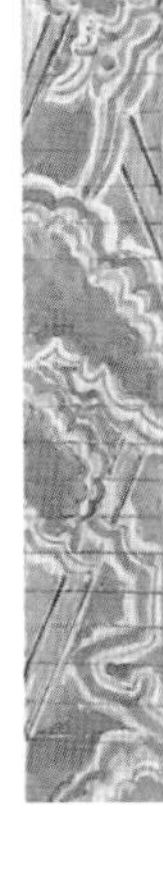

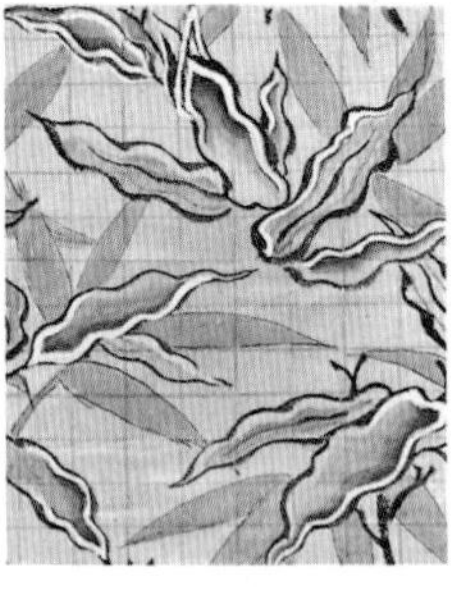

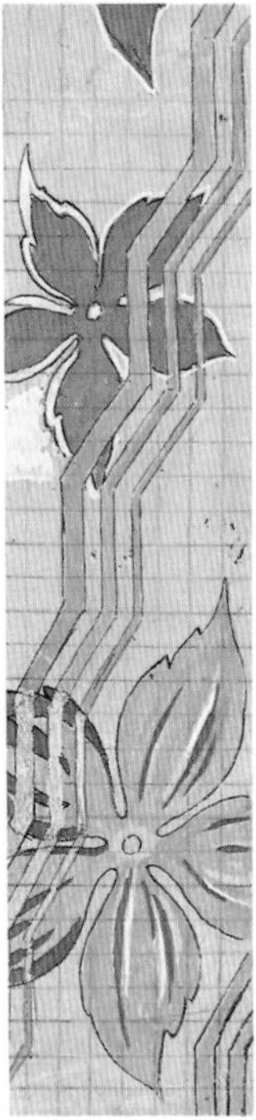

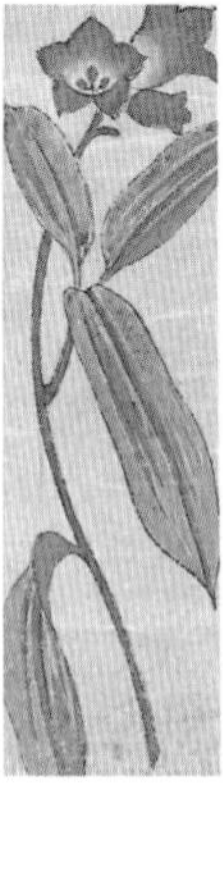

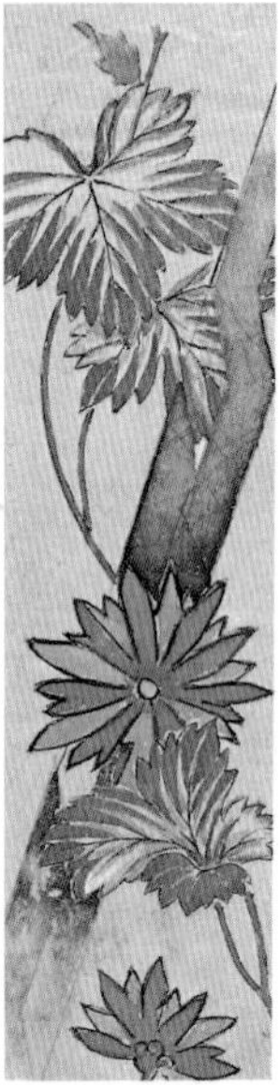

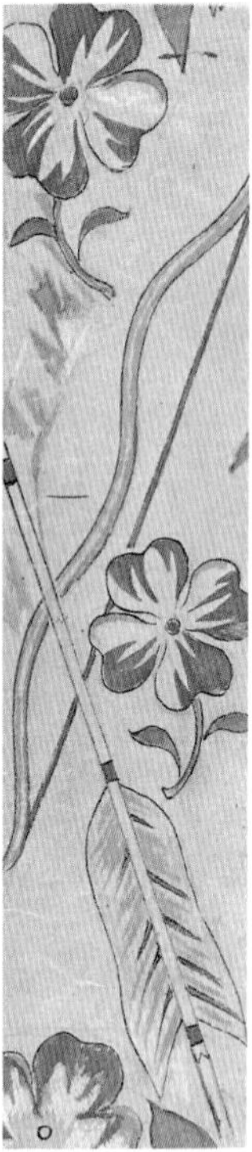

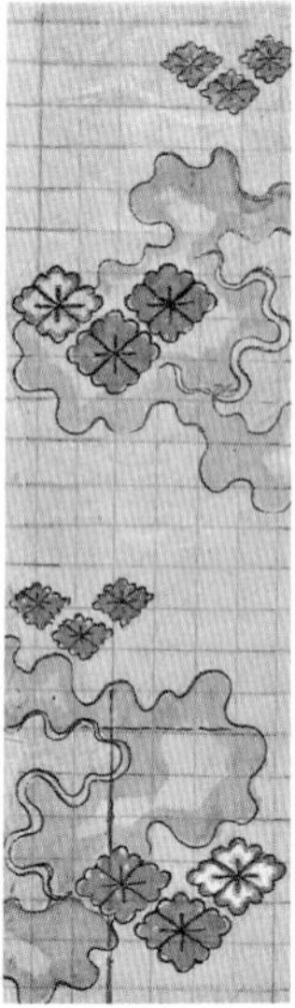

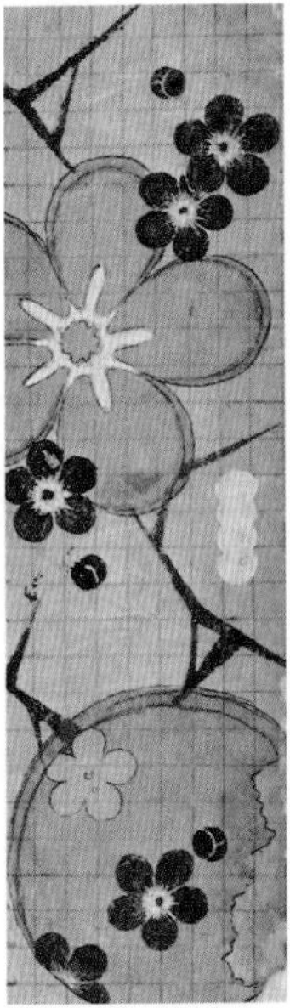

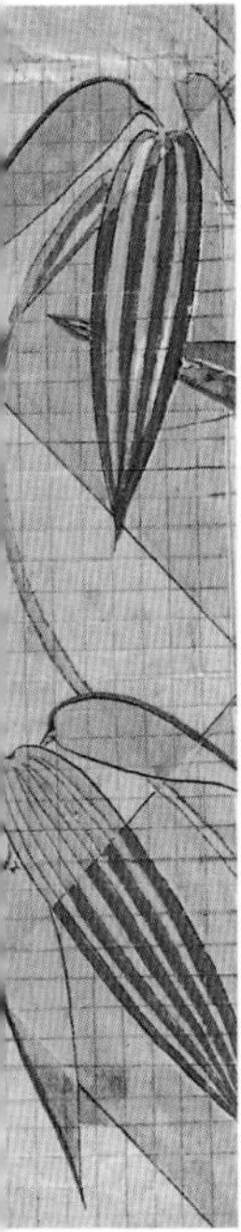

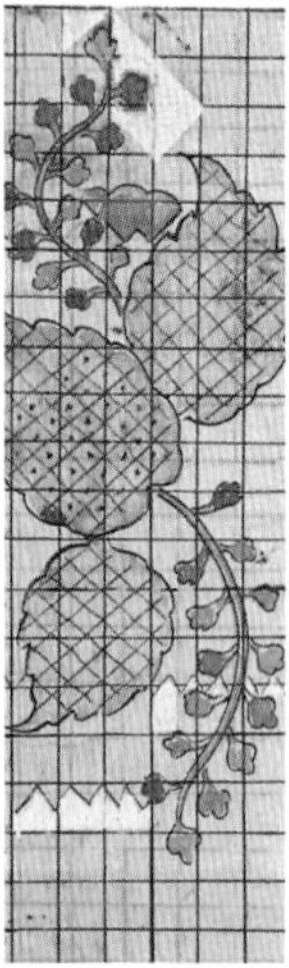

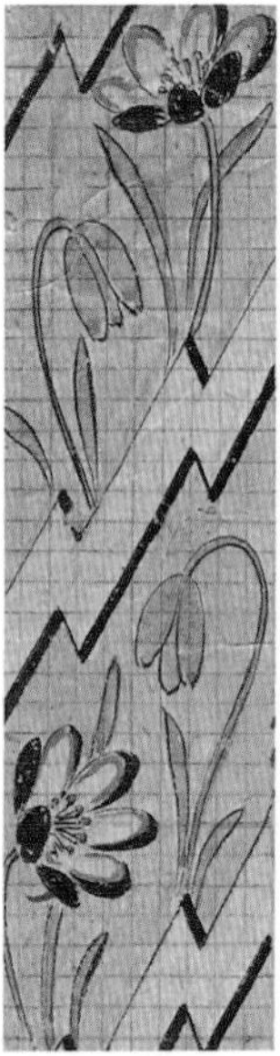

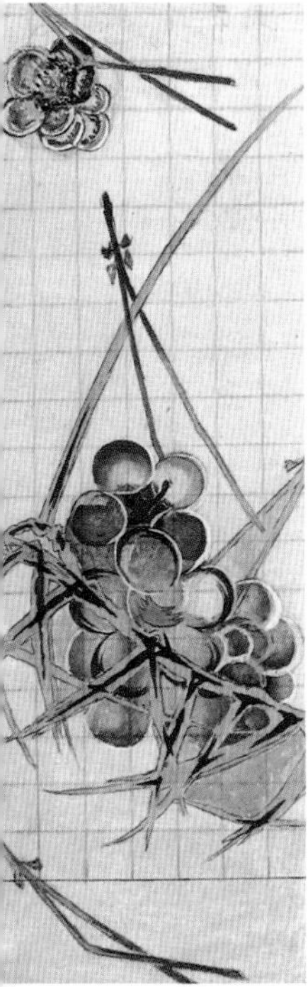

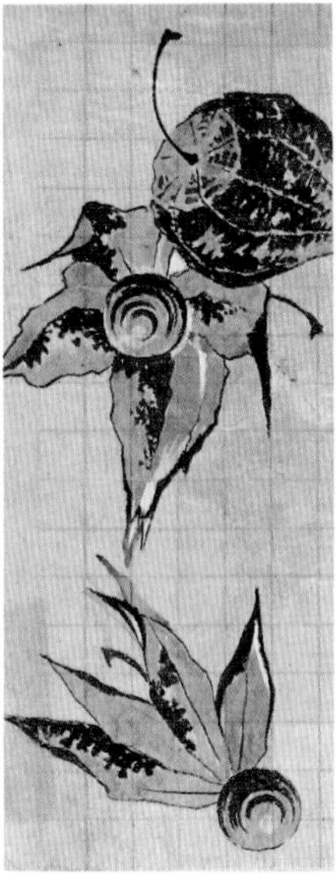

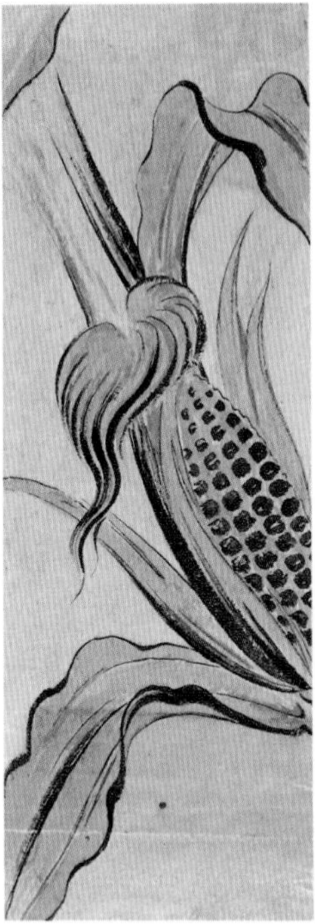

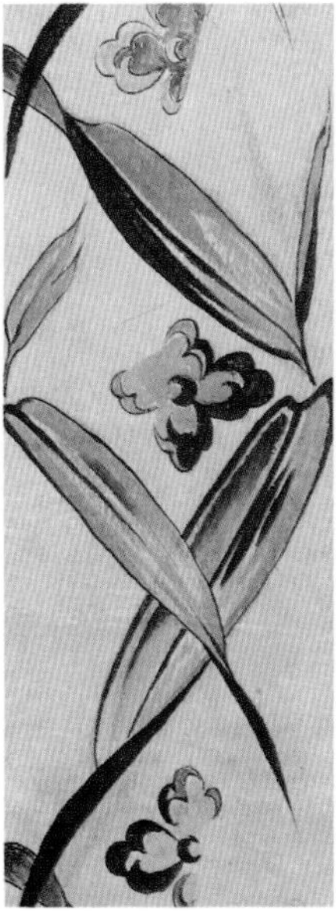

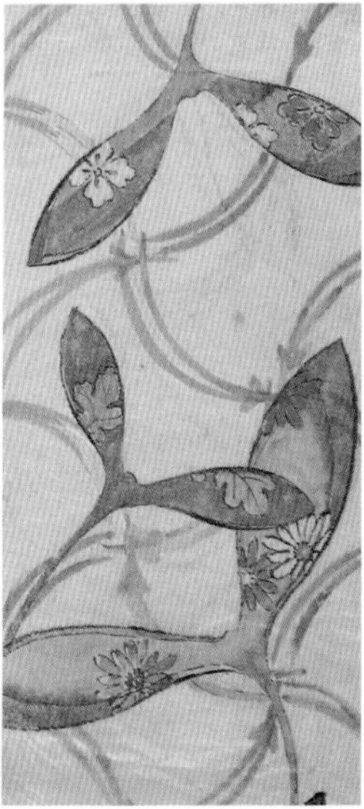

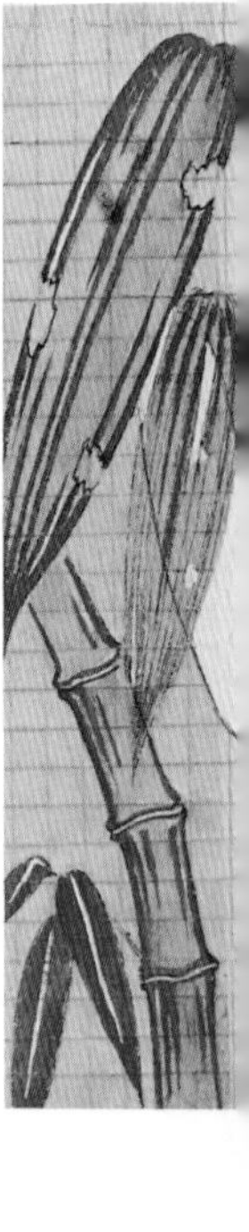

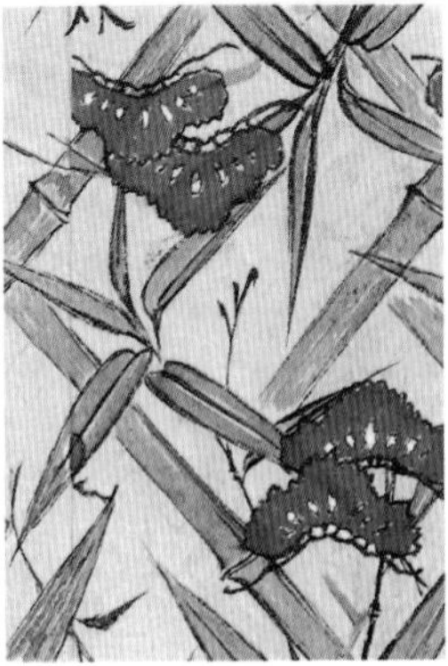

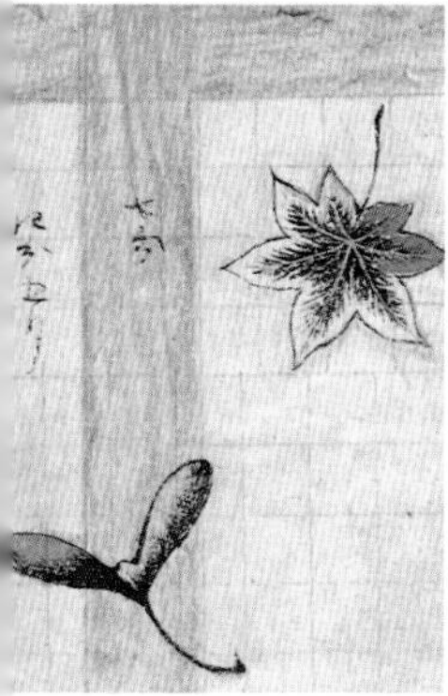

小紋・中形更紗紋

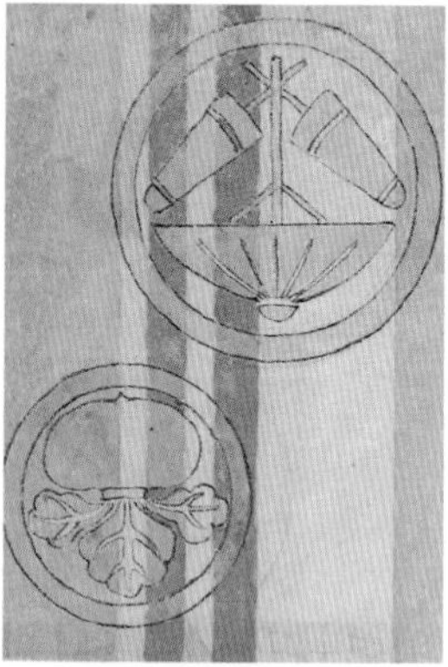

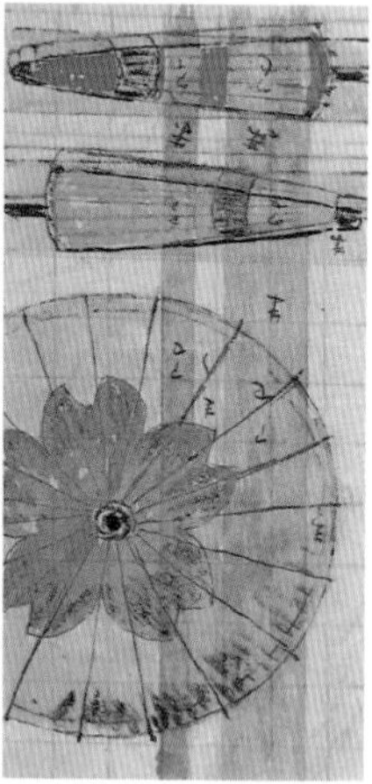
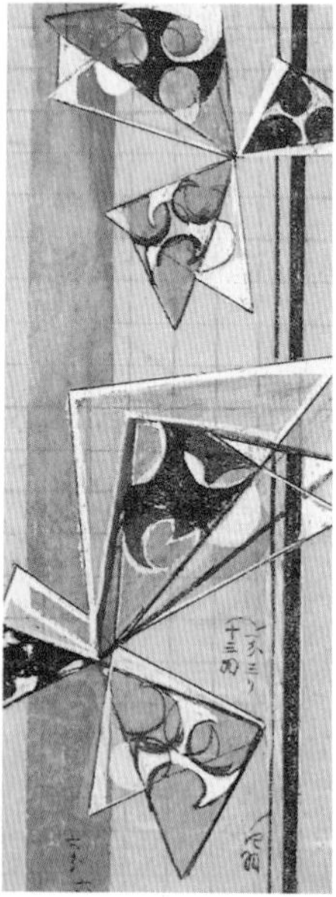

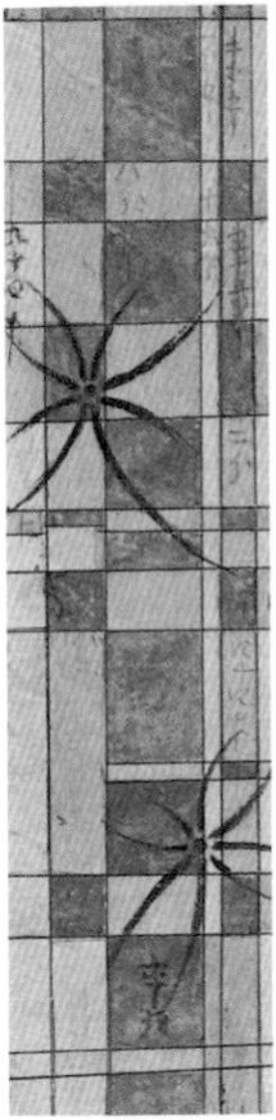
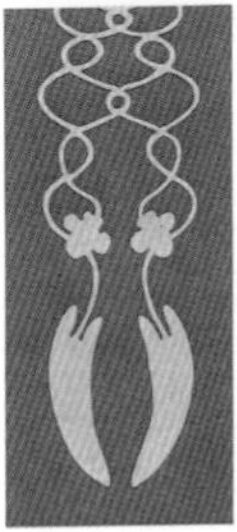
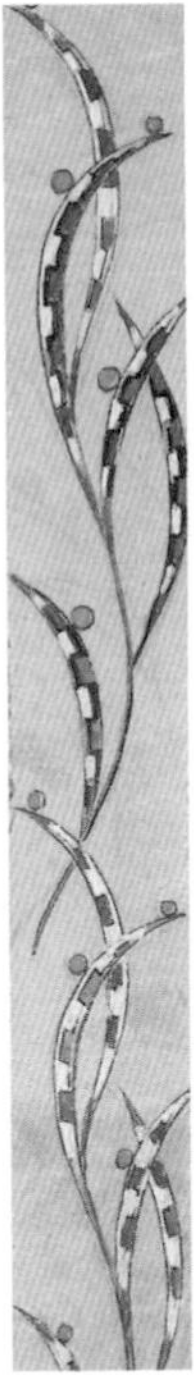
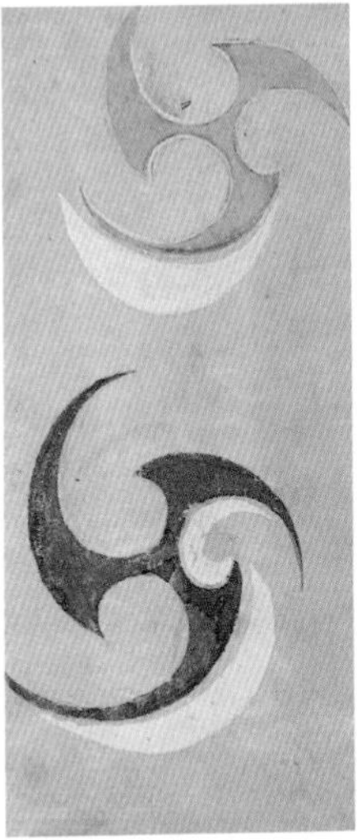

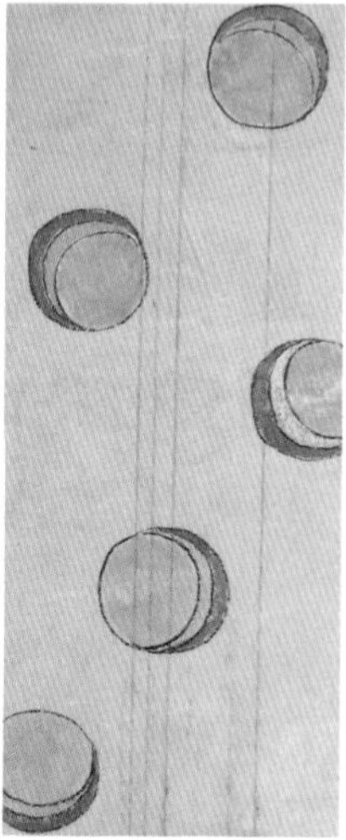

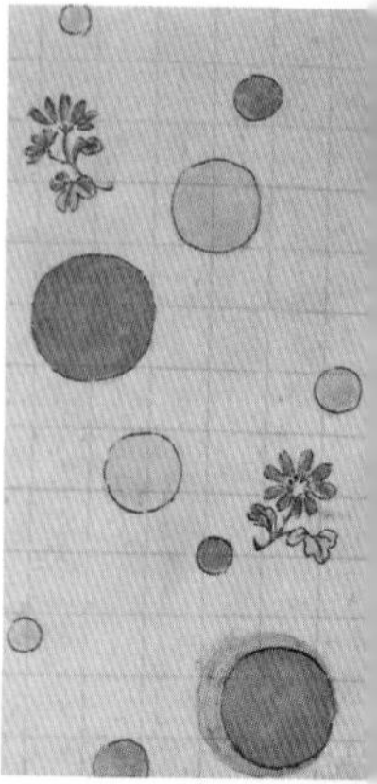

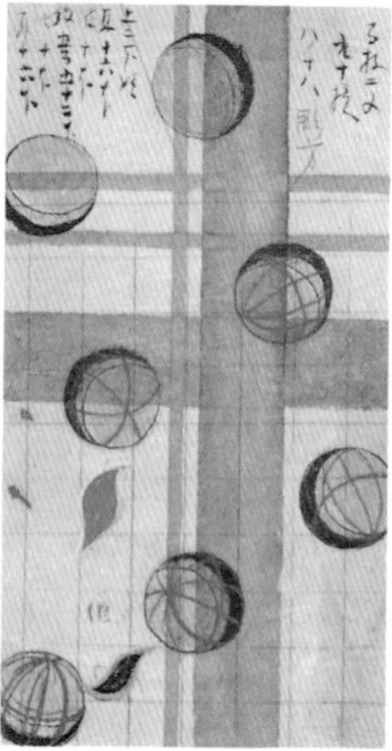

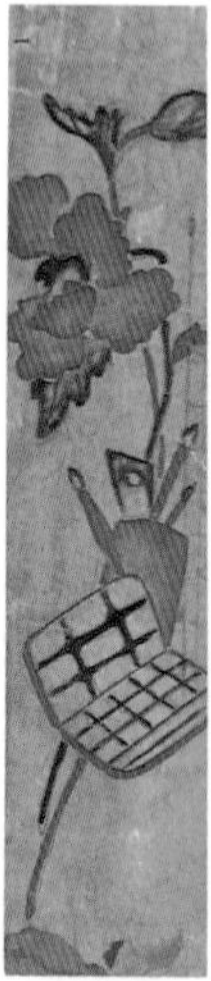

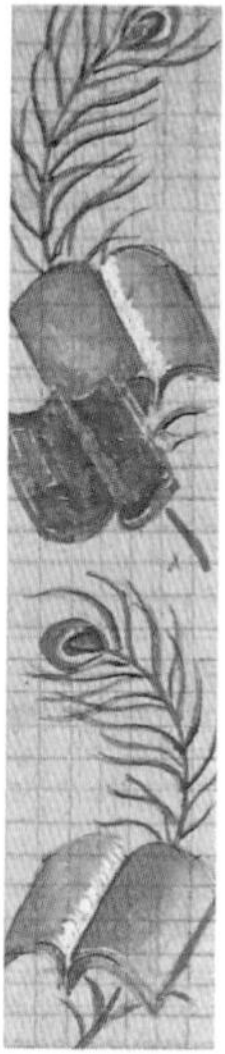

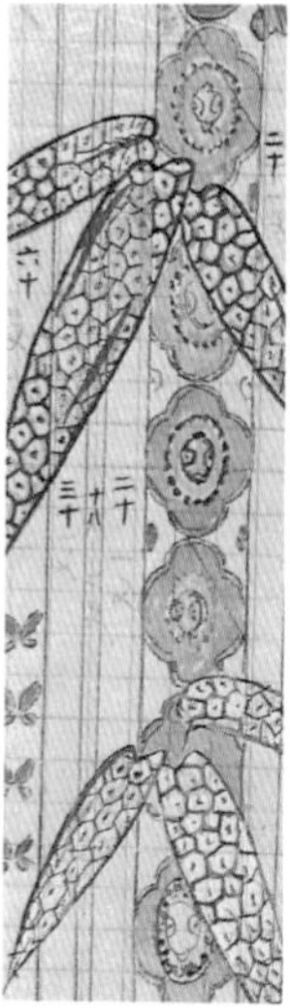

二十
六十
三十
二十

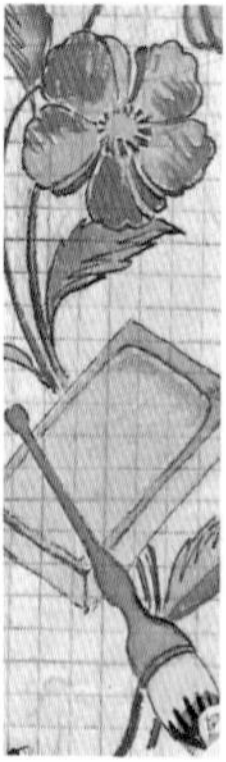

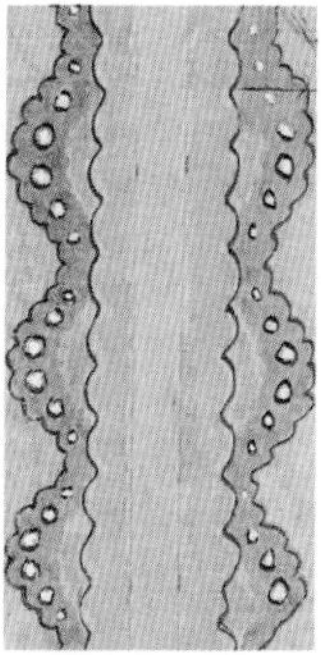

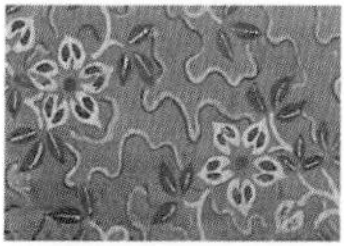

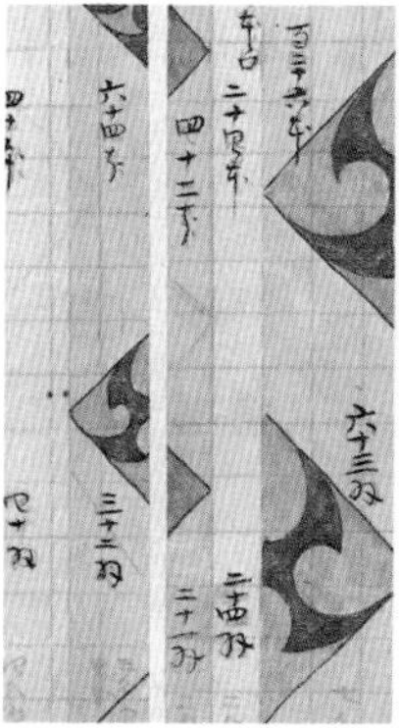

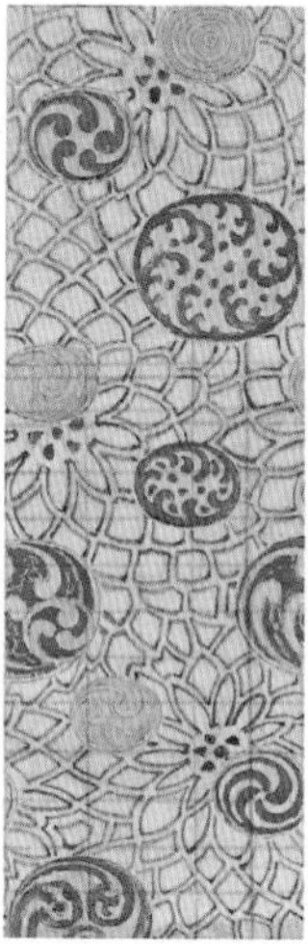

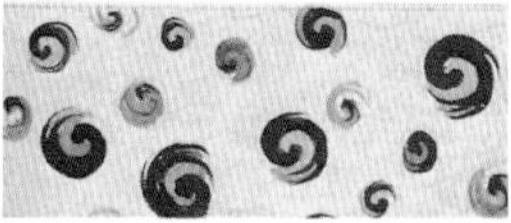

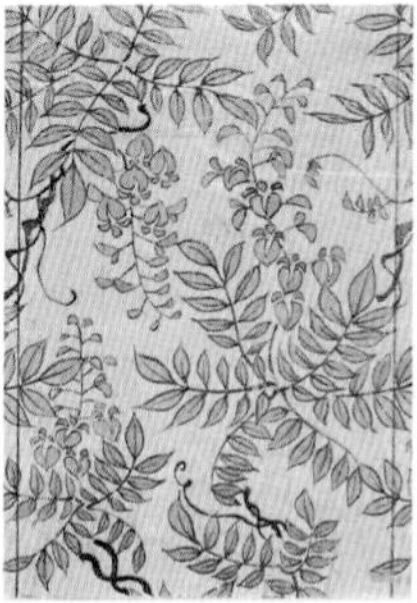
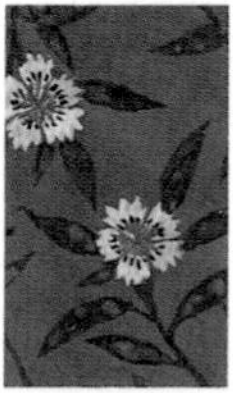
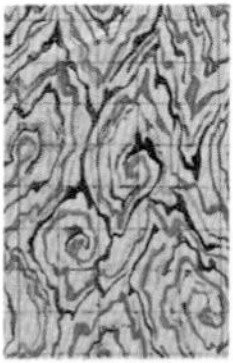
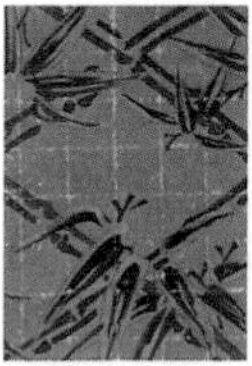
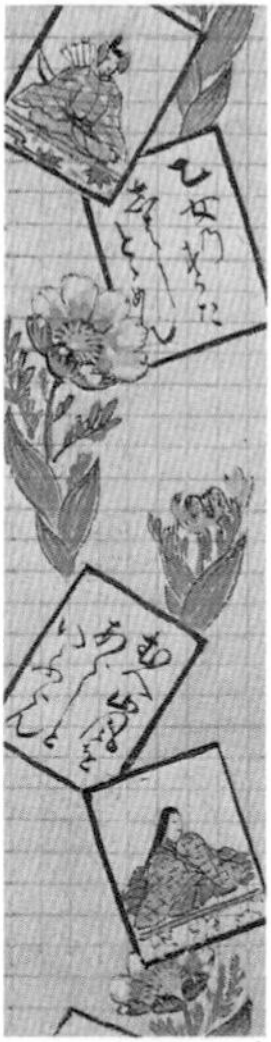
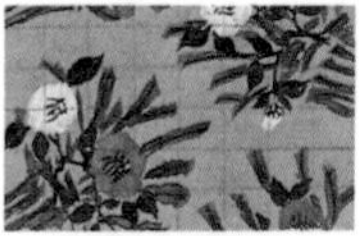
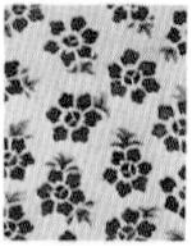

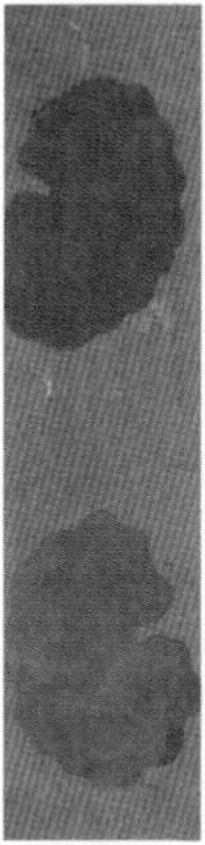
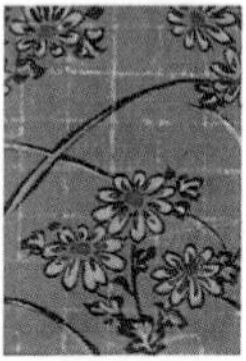
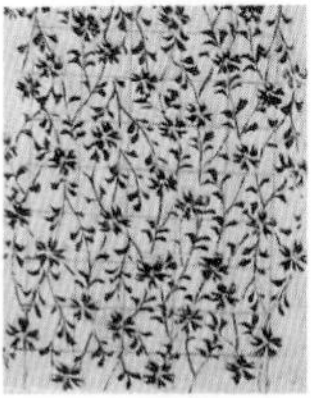

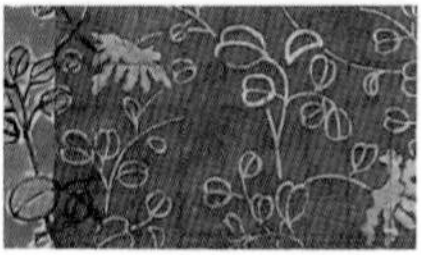
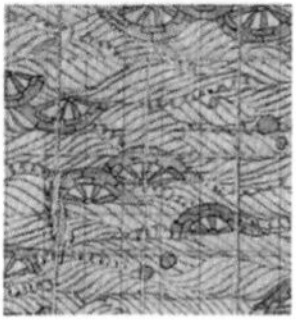
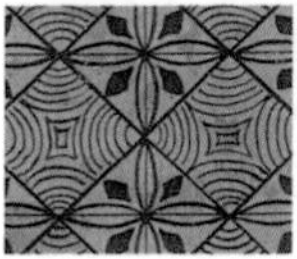
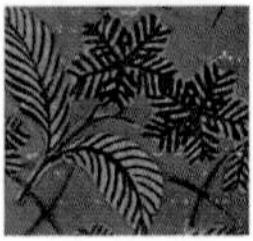

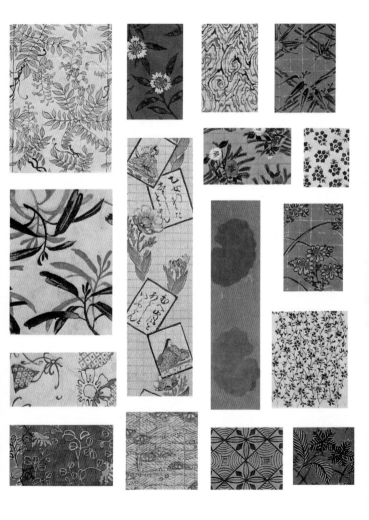

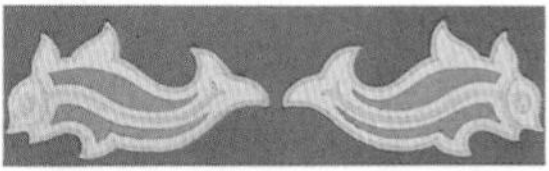

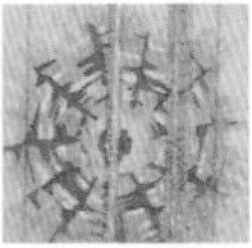
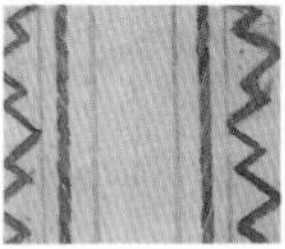

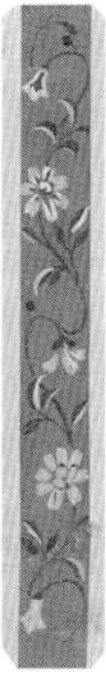

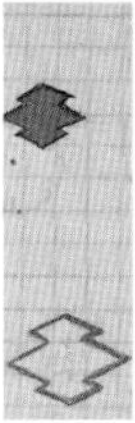
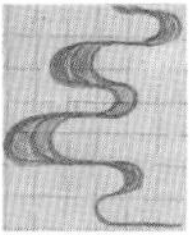

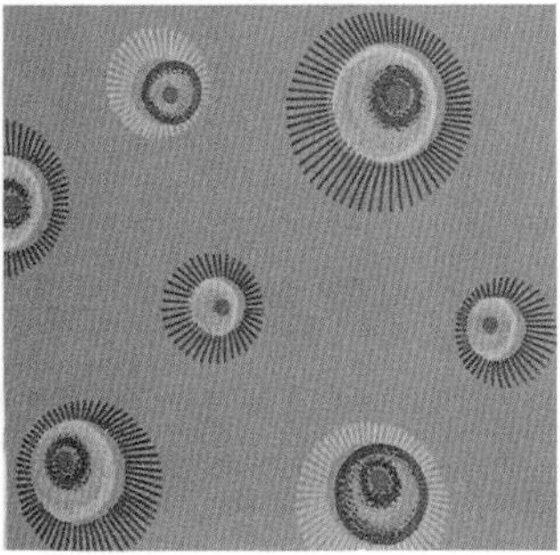
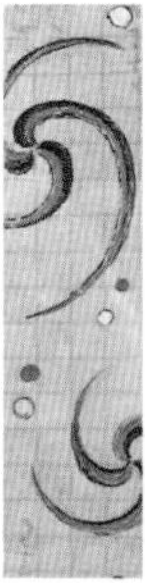

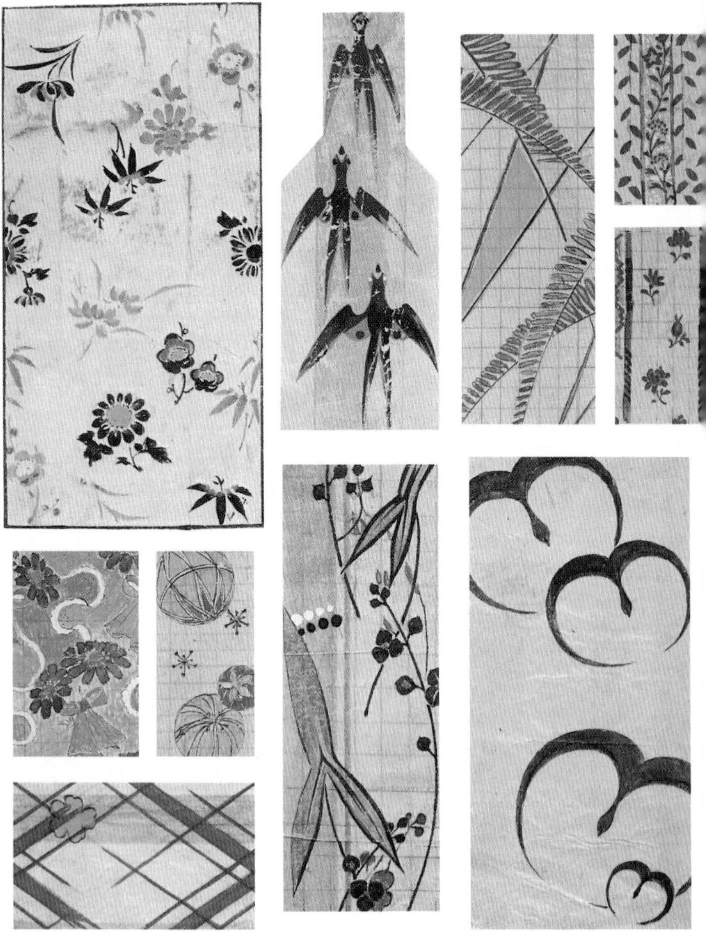

編集後記

この冊子は、懐古裂研究会所蔵の裂、紙、草、草木色様など、いずれも繊維の衣布、用物に表われたる種々相を主題とする、懐古《むかし》の素材を中心として、各様式にわたる伝承の紋様群をテーマに、そのいずれも具体的に視覚に捉えて理解し、なお、さらに観察・鑑賞を容易にするためにすべてカラー図版の多彩な展開を意図した。

吉本嘉門

和更紗

Japanese Sarasa

発　行　2004年 4月1日　初版発行
　　　　2004年12月1日　第二版発行

著　者　吉本嘉門

発行者　安田英樹

発行所　株式会社青幻舎
京都市中京区三条通東洞院西入ル(〒604-8136)
TEL.075-252-6766 FAX.075-252-6770
http://www.seigensha.com

企画・構成　青人社

装　丁　大西和重

印刷・製本　印刷夢工房有限会社

Printed in JAPAN
ISBN4-86152-002-9 C2072

本書は、1994年、株式会社グラフィック社より刊行された
「和更紗紋様図鑑」を文庫サイズにしたものです。
図版等の著作権については、可能な限り許諾を
得るように致しましたが、一部に不明なものがありました。
判明した際にはすみやかに対処致しますので、
継承者の方は編集部までご一報下さい。

好評デザイン関連書

源氏物語　六條院の生活

監修　五島邦治　編集　風俗博物館

王朝ロマンの世界が鮮やかによみがえる、画期的なビジュアルブック。建物、調度、装束、小道具に至るまで、すべて実物の四分の一の精緻な模型で、源氏の名場面を香り高く再現。

A4判・168頁・並製　■3286円（税別）

本の造形

山本美智代著

装丁家の草分けにして、常に第一線で活躍する著者の全作品を集大成。稲垣足穂やなだいなだの単行本から全集まで多岐にわたる仕事から、時代を反映した表情と高い創造性が伝わる。

A4変・144頁・上製　■5800円（税別）

好評デザイン関連書

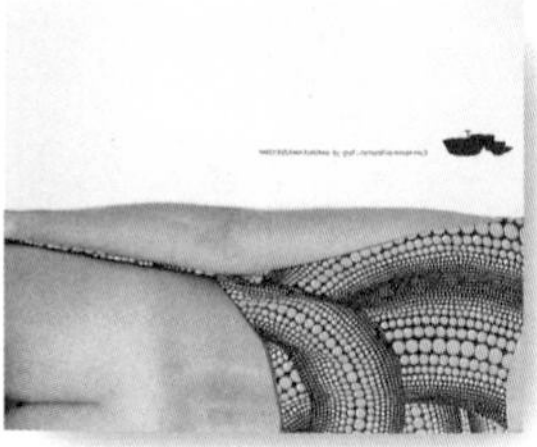

YAYOI KUSAMA Furniture by graf

文　谷川渥・椹木野衣・山下里加・岡田栄造

世界の草間彌生とグラフのコラボレーションから、衝撃の家具とファッションが誕生。アートと暮らしの見事な循環が果たされた。それはまた、１９６０年代の草間の活動と現在の円環を成すプロジェクトでもある。限りない創作へのエネルギーがみちびく「ハプニング」とは!?

Ａ４変・１３６頁・並製　■３５００円（税別）

更紗ビジョン

企画構成　伊藤佐智子　写真　上田義彦

愛と祈りと創造性の込められた更紗文様の生命力を五感で感じる本。貴重なインド更紗をはじめ、ジャワ、インドネシア、ペルシャ、ヨーロッパ各地の更紗が満載です。インスピレーションの源、動植物や鉱物の鮮烈な写真が更紗世界をより幻惑的に演出。

Ｂ５判・１４４頁・並製　■２９００円（税別）

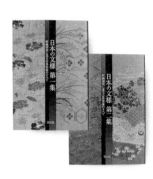

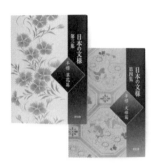

ビジュアル文庫シリーズ

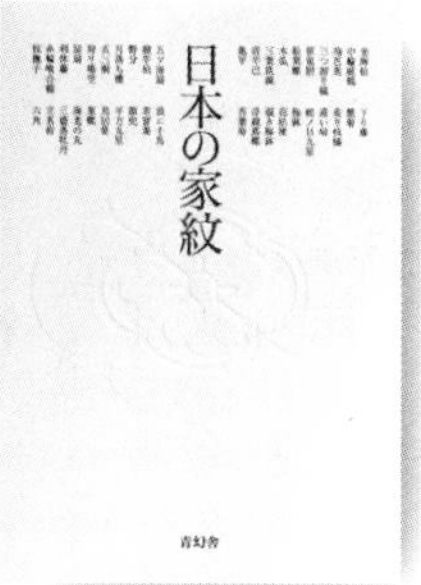

日本の家紋

家紋は平安時代以降、日本の家の由緒や家系を表わすものとして、代々伝えられてきた「しるし」です。衣服文化との深いつながりを有し、ミニマムにしてシンボリックな意匠は、日本文化の美を代表するものです。本書は、全４５００種をモチーフ別に収録した決定版。

文庫判・３２０頁■１２００円（税別）

千社札

二代目銭屋又兵衛コレクション

千社札は、江戸の美学である粋と洒落の精神が生んだグラフィックデザインです。絵師、彫師、摺師のコラボレーションにより、ダイナミックな構図と華麗な色彩を駆使して、文字と絵画を独自に融合させました。約４００点の佳品を収載。

文庫判・１９２頁■１２００円（税別）